北欧、幸福の安全保障

スウェーデン・フィンランドの選択

近藤浩一・著

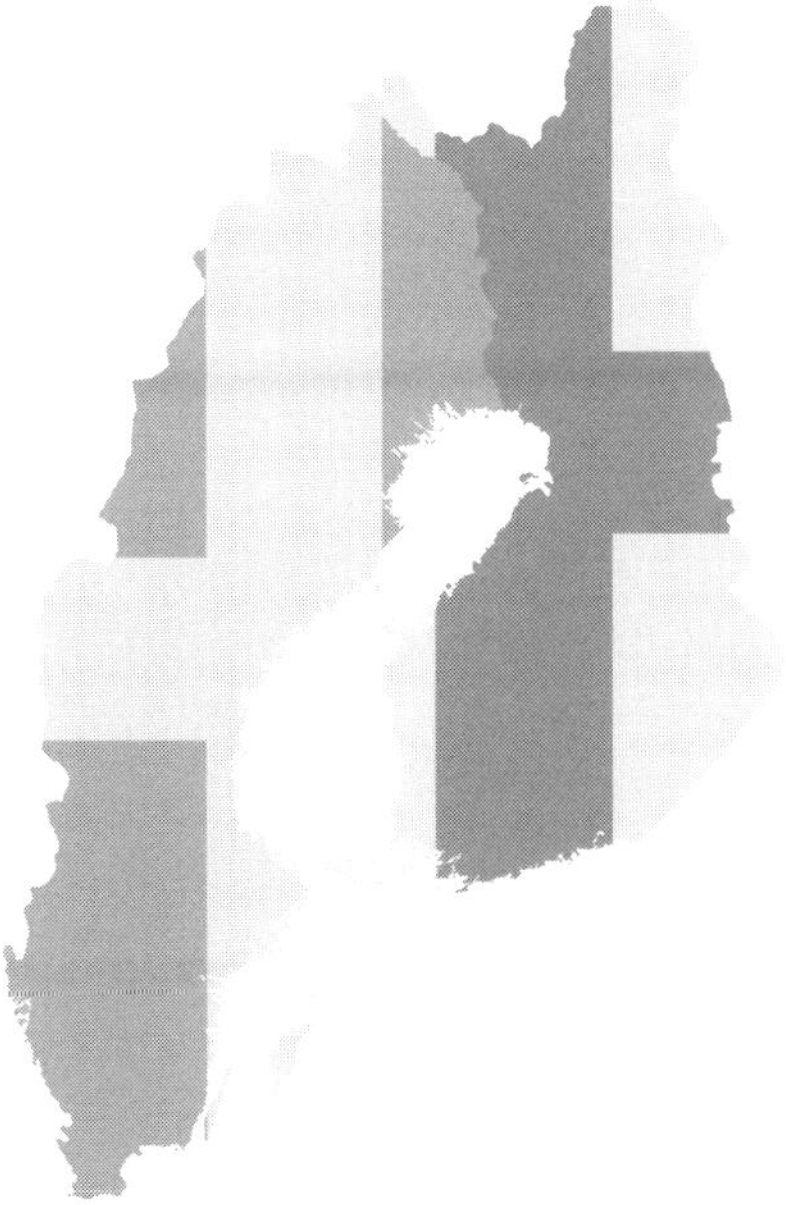

まえがき

現在、世界はロシアのウクライナ侵攻を受け、大きく変化した安全保障環境に直面しています。北欧にも大きな影響を与え、ウクライナ侵攻以降、特に歴史的にロシアとの関係の深いスウェーデン、フィンランドにおいては、長く続いた中立政策を転換し、NATO加盟国としての道を歩み始めることになりました。このような国際的な緊張関係のなか、私たちが普段考える「幸福」という概念も、安定した安全保障環境を前提としていることが改めて明らかとなりました。

日本では、現在、団塊の世代が75歳を迎え、2023年に総人口に占める高齢者の割合は29・1%と過去最高を記録しました。一方で、合計特殊出生率は2022年に1・26と過去最低となり、世界で最も高齢化の進む「超高齢社会」へと突入しています。このような状況のなか、北欧の福祉制度や社会保障への関心が高まるとともに、幸福感に対する注目も増しています。

スウェーデンとフィンランドは育児制度や女性の社会進出の支援など社会的なサポートが充実し、幸福度が高いことで知られています。スウェーデンに10年以上住んでいる私は、この国の子育ての環境や社会制度を身近なものとして経験してきました。ここでは、ジェンダー平等が進んでおり、女性の社会進出の割合が高く、子どもが生まれてからも仕事を続ける女性が多くいます。また父親も育児に積極的に参加し、共働き家庭もとても多くあります。社会全体として子どもを最優先に考える文化が根付いているため、子どもが病気になった場合でも、親は仕事を休んでケアすることや、リモートワークができる環境が整っています。私も父親として、1年間の育児休暇を取得し、育児を通して子どもとの関係を深められました。こうした子どもを中心とした社会づくりは、少子化対策といった1つの側面だけでなく、親子の絆を強め、家族の幸福度の向上にも大きく寄与しています。

フィンランドもまた、育児や教育、高齢者介護、ジェンダー平等に関して高い評価を受け、かつ国連幸福度ランキングでは7年連続でトップの国です。私事ですが、私にはスウェーデンの大学で環境関連の研究者として働くフィンランド人の妻がいます。そのため、妻から普段なかなか知り得ないフィンランド人の本音や、フィンランドを訪れた際には現地の人たちの生の声を聞いたり、社会制度や文化について実際に学ぶ機会も豊富にあります。

そこで本書では、私の経験や現地の人の声も踏まえつつ、北欧のスウェーデンとフィンランドの社会を、「幸せ」という視点から多面的に探求していきます。

本書の構成としては、北欧2か国のNATO加盟をプロローグとし、1章から北欧の社会制度、特にジェンダー平等、育児、教育に焦点を当て北欧の幸福を記しています。6章以降では、人々の幸福の基盤となる北欧2か国のNATO加盟を含む、国家安全保障状況について詳述します。最終章は北欧2か国だけではなく、世界の人々の幸福についても目を向け、幸福に大きな影響を与える「経済」という視点から、誰もが幸せに暮らせる社会への道を模索します。

北欧のアプローチが順風満帆というわけでは決してありません。しかし、本書が、少子高齢化に直面している日本の社会制度改革や幸福についての議論に貢献し、より多くの人が幸せに暮らせる社会づくりの糸口となれば望外の喜びです。

『北欧、幸福の安全保障』目次

2章　おとなが育ちあう社会づくり

3章　仕事・自由・自然が溶け込んだ生活

4章 健康と尊厳は政治から

5章 移民多文化社会と治安のジレンマ

6章　国家安全保障と知られざる戦史

7章　NATO加盟と国民の幸福保障

8章　幸福と経済 次の社会に向けて

●ヨーロッパのNATO加盟国

NATO加盟国
(2024 年3月現在)
アイスランド
スウェーデン
フィンランド
ノルウェー
ロシア
エストニア
ラトビア
ロシア
(カリーニングラード)
リトアニア
デンマーク
アイルランド
イギリス
ベラルーシ
オランダ
ポーランド
ドイツ
ベルギー
ウクライナ
チェコ
ルクセンブルク
スロバキア
モルドバ
リヒテンシュタイン
オーストリア
ハンガリー
スイス
フランス
ルーマニア
スロベニア
クロアチア
セルビア
ボスニア
ヘルツェゴビナ
サンマリノ
コソボ
ブルガリア
モンテネグロ
ポルトガル
モナコ
イタリア
北マケドニア
アンドラ
バチカン
アルバニア
スペイン
ギリシャ
トルコ
モロッコ
アルジェリア
チュニジア
マルタ

●為替レートは、2024年3月4日のレートに基づき、以下のように計算した。
・1クローナ＝14・5円
・1ユーロ＝163円
・1ドル＝150円
・1ポンド＝191円
●特に注記のない写真は著者の撮影による。

プロローグ

中立からの転換、ＮＡＴＯ加盟へ

1 ウクライナ侵攻で一変した「魔女の宅急便」の舞台

ストックホルムの南に位置するゴットランド島は、スウェーデンで最大の島であり、その中心には中世の雰囲気を残すヴィスビー市があります。この美しい街は、「魔女の宅急便」の舞台としても知られ[1]、１９９５年に世界遺産にも登録されました。

一方で、バルト海の中心に位置するゴットランド島は、防衛戦略上の重要な位置にあります。特に、１８０８年にロシアに一時占拠されて以降、島の戦略的な価値が高まっています。ウプサラ大学の歴史家ミカエル・ノルビー氏は、「ゴットランドを制する者が南部バルト海を制する」とも述べています。[2] しかし、冷戦後の2005年に、この島は非武装化されたため、その後、バルト海地域での平和と協力の象徴となっていました。

しかし、その平和もつかの間、2014年のロシアのクリミア併合をきっかけに、島が非武装である状態は安全保障上の問題となったのでした。そして、2016年、スウェーデン軍は島に兵士を再び派遣することを決定しました。さらに、2018年に、400人の兵士や戦車部隊から構成されるゴットランド連隊が設立され、2021年には、防空システムも再導入されました。[3]

2022年1月、ロシアとウクライナ間の緊張がさらに高まると、スウェーデン軍はゴットランド島への兵士増援と軍事物資の輸送を実施しました。これにより、島の防衛態勢が強化されました。[4] さらに、バルト海からロシア上陸用舟艇が数隻出港したことが確認されたことで、海上監視も強化されたのでした。[5] そして、その直後の2月に、ロシアはウクライナ侵攻を開始しました。この侵攻を受けスウェーデン政府は4月に、ゴットランドの軍事インフラ強化のため、16億クローナ（約232億円）を投じる決定をしたのでした。

ウクライナ情勢の変化は、スウェーデン国民にも緊張を走らせます。SVTの調査によると、[6] NATO加盟支持率は、侵攻前では賛成派より反対派の方が高い状態でした。しかし、侵攻後の2022年5月には、賛成派が53％となり、反対派の23％を逆転したのです。

地域情勢の変化に対応して、2022年11月、スウェーデン軍はゴットランドでの演習を実施しました。[7] この演習は、ロシアのウクライナ侵攻を背景に、ゴットランド島の防衛能力の強化

「魔女の宅急便」の舞台にもなったゴットランド島の美しい街ヴィスビー市
（出所：Unsplash）

を目的に行われました。

さらに、2023年4月には、25年ぶりの大規模演習「オーロラ23」を実施します。[8] この演習には、NATO加盟国のアメリカ、イギリス、フランス、ドイツなど14か国、総勢約2万6000人が参加しました。演習では、ゴットランド島や南部・北部などへの武力攻撃を受けたことを想定し、各国との総合能力の強化に向けた訓練が行われたのでした。

アメリカのシンクタンク「アトランティック・カウンシル」によれば、[9] NATO加盟国との演習は、スウェーデンの軍事能力と地理的状況が、NATOやその同盟国の安全保障に重要な役割を果たすことを示唆していると述べています。

一方で、2023年4月、ヨーテボリの市内では、オーロラ23とNATO加盟に反対する約500人の抗議デモも開かれました。デモの主催者トール・ハーンクヴィスト氏は、「軍事力の強化が平和への条件をつくり出すことはまずない」と語っています。[10]

さらに、2023年10月、イギリス主導の9か国のNATO加盟国で構成される、遠征軍（JEF）の首脳がゴットランドに集まり、ロシアとの戦争、ウクライナ支援、北欧への脅威に関する会議を開催しました。[11] そして、この遠征軍の一環として、ヨーテボリ市に、イギリスの最大空母「クイーン・エリザベス」が入港したのでした。[12] ウクライナ侵攻後は、これまで中立であったスウェーデンとは明らかに異なる、軍事状況に変わってきています。

ウクライナ侵攻後、島の様子が変わるゴットランド島について、スウェーデンラジオSRによれば、[13] 島の住民は、軍隊が駐留する状況で不安を感じる人もいれば、安心する人もいると報じています。しかしながら、2021年1月に、この島に多くの兵士や戦車が上陸したとき、「なぜハンバーガー屋の前に戦車があるのか」と島中が騒ぎになったそうです。さらに、ロシア上陸用舟艇がバルト海から出港したときには、島民全員がただの演習とは違い、戦争に現実味が出てきていると感じたと述べています。

魔女の宅急便の舞台にもなった、のどかで温かみにあふれたゴットランド島は、ウクライナ侵攻後、兵士や戦車部隊が集結する、緊迫した防衛の最前線の街へと変貌してしまいました。

2 安全と経済のはざまに揺れる国境の町

歴史的にフィンランドはロシアからの脅威を長く受けてきた国です。第2次世界大戦中には、「冬戦争」と「継続戦争」で多くの犠牲を出しつつも、ロシアから独立を守り抜きました。戦後は東西両陣営の間で、ソ連からの影響力を受け入れながらも中立政策をとりました。冷戦が終結したあとはEUに加盟しましたが、ロシアを刺激しないように軍事同盟であるNATOには加盟していませんでした。

しかし、近年、ロシアの軍事的行動が増えるなか、NATO加盟への意向も変化し始め、ウクライナ侵攻直後の世論調査では、「加盟支持」が初めて53%と、半数を超えました。そして、2022年2月下旬に、マリン首相は、長年貫いてきた軍事的な中立政策を転換させ、「ウクライナにライフルや対戦車兵器を供与する」と発表し、[14] 5月にNATOへの加盟申請を提出したのでした。[15]

アメリカのシンクタンク「ウィルソン・センター」によれば、[16] NATOにとってフィンランドが加盟することの利点は3つあります。

1つ目に、復興力があります。この国は強力な徴兵制を持ち、約90万人の予備兵と戦時の兵力28万人がいます。そして、1940年代のソ連との戦争を背景に、全市民参加型の国防体制が確立されています。これにより、危機や戦争の際に総動員可能であり、食料や燃料の社会全体にわたる備蓄（戦略的備蓄として少なくとも6か月分）や都市部の住民のための防空壕なども準備されています。実際に、コロナ禍においては、この備蓄が活用され、その有効性も実証されました。

2つ目に、技術的先進性。同国は、5G通信技術や、国際評価が11位と高いサイバーセキュリティの能力を持ち、5G通信事業者ノキアの貢献も期待されています。

最後に、防衛能力。同国の砲兵部隊は西ヨーロッパでトップクラスの規模と装備を持っています。これは、NATOの防衛力の強化に寄与すると注目されています。こうしたNATOにとっても多くの利点を持つフィンランドは、2023年4月に加盟申請から史上最速でNATO加盟を果たしたのでした。[17]

しかし、同国の加盟により、ロシアとNATOとの境界線は2倍以上となり、国境の防衛の重要性は増しました。この国とロシアとの国境は約1300キロ続くため、NATO加盟前の2022年4月に、政府は3億8000万ユーロ（約619億円）かけて東部の国境沿いに200キロにおよぶ防衛強化のためフェンスの建設を開始しました。[18]

東部の国境沿いの町イマトラに住むアリ・ヨロネンさんは、「フェンスの建設は将来役立つ可能性があるので、良いことだと思います」と語っています。さらに、2023年、政府は年間4500万ユーロ（約73億3500万円）を追加投入し、国境警備隊の増員と警備強化も進めています。[19]

一方で、これまで地理的利点を活かしロシアと長い間ビジネスを続けてきた同国には、NATO加盟により、大きな経済的影響が出ています。[20] 2021年においてロシアは、同国の主要な貿易パートナーであり、3番目の輸入国、5番目の輸出国でした。[21] ですが、ウクライナ侵攻後、両国間の人の往来や物流がストップし、経済的な問題が生まれてしまったのでした。

特に国境地帯の町、イマトラは大きな影響が出ており、2023年の時事通信によると、[22] イマトラはかつてロシア人で賑わっていましたが、今は、店舗やレストランが閉まり、町中も閑散としています。地元のタクシー運転手も「以前はロシアの車がたくさん来ていたが、今はほとんど見かけない。経済的には大きな痛手だ」と語っています。

イマトラだけでなく、ロシアとの貿易停止は、フィンランドの多くの産業に影響を及ぼしています。原材料やガスの価格が上昇したため、2000以上の企業が影響を受けています。[23]フィンランド銀行によれば、[24]この状況はインフレを引き起こし、購買力が低下し、景気を低迷させました。その結果、2021年に3・0%であった経済成長率も、2022年に1・6%へと落ち込んだのでした。

さらに、IMFによれば、[25]2023年の日本の成長率は2%増加ですが、フィンランドの成長率はマイナス0・1%になると予測されています。また、2022年のインフレ率は、平均7・2%、最大8・3%にまで上昇しており、日本のインフレ率2・5%の、3倍近く高くなっています。[26]特に食品の価格は急騰し、2023年4月の価格は前年と比べて、16・25%にまで増加しているのです。

しばしば、各国の物価水準の指標にもなる、マクドナルドのビッグマック価格も、日本の480円に対し、フィンランドでは5・75ユーロ（約937円）と2倍近くになっています。[27]妻の親戚も、「物価が高くなりすぎて以前よりも生活が難しくなった」と話していました。

ウクライナ侵攻を受け、国境付近では緊張が走っています。しかし、今のところ国境から離れたヘルシンキなどの都市では、安全保障面に対する差し迫った不安はあまり感じられません。ですが、ビジネス面で長くロシアと深いつながりのあったフィンランドでは、侵攻後、日本以上に経済的な打撃を受けており、その国民の生活にも大きな影響が表れ始めています。

3 トルコがスウェーデン加盟を渋った理由

2022年2月、ロシアがウクライナに侵攻したことをきっかけに、フィンランドとスウェーデンは同年5月にNATO加盟の検討を進め始めました。その後、フィンランドは、2023年4月に、史上最短でNATOへの加盟を果たしました。[28] 一方、同じ北欧の国であるスウェーデンの加盟はフィンランドに遅れ11か月後となりました。

それでは、なぜスウェーデンのNATO加盟は困難な道であったのでしょうか？

1つ目の理由は、スウェーデンはトルコがテロ組織とみなすクルド労働者党（PKK）を含む過激派組織に対して適切な措置を取っていなかったことです。[29] 簡単に経緯を示しますと、2022年5月、スウェーデンとフィンランドがNATOに加盟を申請した際、多くの加盟国が支持しました。しかし、トルコ・クルド紛争を抱えるトルコは、両国がPKKを支援しているとして慎重な姿勢を示しました。

特にスウェーデンには、約10万人のクルド人が住み、クルド語の母語教育も行われています。1980年代、トルコではクルド語教育が禁止されていたため、「クルド人のアイデンティティはスウェーデンで育まれた」という分析もあるほど、手厚くクルド人を受け入れてきました。[30]

そこで、両国はNATO加盟のため、2022年6月、トルコの要求に応じてクルド人武装組織PKKをテロ組織と認め支援しないことや、メンバーの引き渡しに関する法的枠組みを整備することなどで合意しました。そして、トルコ政府も要求がほぼ受け入れられたとして、両国のNATO加盟を支持することを表明したのでした。[31]

しかし、スウェーデンではその後、トルコがテロリストとする容疑者の引き渡しを拒否、また、国内では、PKK支持者による反トルコデモが頻発しました。[32] 2023年1月には、スウェーデン在住のクルド人が、トルコのエルドアン大統領の人形を逆さ吊りにするデモまでも実施しました。[33]

これに対し、トルコ政府はスウェーデン大使を呼び出し、怒りを表明。この結果、トルコ政府は当該デモを容認したスウェーデンに対して、態度を硬化させたのでした。その一方で、フィンランドではこうしたデモはなく、NATOへの加盟をスムーズに果たせました。[34]

2つ目の理由は、スウェーデン国内で頻繁するイスラム教の聖典、「コーランの焼却デモ」です。2023年1月にスウェーデン人の極右活動家、ラスムス・パルダンは、ストックホルムのトルコ大使館の前で、イスラム教と移民に反対する演説後に、コーランを焼却するデモを実行しました。[35]

ロイター通信によれば、[36] トルコ外務省は、「聖典に対する卑劣な攻撃を最も強い言葉で非難する」としたほか、サウジアラビア、ヨルダン、クウェートなどもスウェーデンを非難しました。エルドアン大統領も閣議後の演説で、「(ストックホルムの)トルコ大使館前でこうした冒瀆を許す者は、NATO加盟に対するトルコの支持を期待すべきでない」と述べました。さらに、トルコのスウェーデン領事館前ではスウェーデン国旗が燃やされる抗議活動も起き、[37] スウェーデンのヨンソン国防相のトルコ訪問も中止されるまでとなりました。[38]
外交関係が悪化するなか、今後もコーラン焼却デモが続くのかが注視されました。過去にもこうしたデモは何度も行われていましたが、警察は「表現の自由」を理由に、これらのデモを却下することができませんでした。しかし、パルダンのデモを機に、警察は社会と国益への脅威であるとして、2つのコーラン焼却デモ申請を却下したのでした。[39]この警察の決定に対して、今度は国内で法的根拠の欠如を巡る議論が巻き起こります。[40]

この議論の中で、2023年4月、ストックホルム行政裁判所は重要な判断を下しました。同裁判所は、警察がコーランの焼却デモを拒否する充分な権限を保持していないと裁決したのです。この裁判所の決定により、コーラン焼却は法的に「合法」となりました。[41]

これを受け再び、コーラン焼却が頻発することになります。2023年6月のSVTによると、[42]エルドアン大統領はコーラン焼却のデモを容認するスウェーデンに対し、「最終的に、我々は傲慢な西洋人たちに、イスラムを侮辱することが表現の自由ではないことを教えるだろう」と述べたのでした。

とても難しい問題ですが、皆さんは表現の自由のもとの「聖典コーランの焼却デモ」と「宗教的信条への敬意」どちらが優先されると考えますか？

ちなみに、フィンランドでもコーラン焼却デモが計画されていましたが、刑法で「宗教的平和の侵害」があり、[43]デモは事前に却下されました。そのため、コーラン焼却がNATO加盟への障壁にはならなかったのです。また、ベルギー新聞によれば、[44]EUでは2008年以降、加盟国に対して人種や宗教に対し、公の場での憎悪を扇動する発言を刑法犯罪と定める義務を課しています。[45] しかし、スウェーデンの法律は、EUの決定を適切に実施しておらず、国際犯罪やホロコーストに対する嫌悪的な発言も刑罰の対象になっていないと報じています。

このようにスウェーデンのNATO加盟が進まなかった主な理由には、「クルド人問題」と「コーラン焼却」に対するトルコの反対があったのです。

一方で、2023年7月、これまで難色を示していたトルコの態度が一変しました。エルドアン大統領は、10月にトルコ議会がスウェーデンのNATO加盟を承認する見通しを示したのでした。ニュースメディア、ビジネスインサイダーによれば、[46] この背景には、承認の条件としてアメリカが戦闘機F－16をトルコに売却するなどの譲歩があったとされています。

その後も紆余曲折ありましたが、[47] 最終的に同年10月、エルドアン大統領はスウェーデンのNATO加盟批准に向けた法案を議会に提出しました。SVTによると、[48] トルコへは幾つもの外部圧力がかかり、また、トルコも可能な限りの利点を搾り出せたと判断したから議会に提出したのではないかと報じています。トルコ議会での審議も難航しましたが、[49] 2024年1月にトルコ議会はスウェーデンのNATO加盟を承認するに至ったのでした。[50] 最後の承認国ハンガリーも一筋縄でいきませんでしたが、同年2月にハンガリー議会が承認し、同年3月、ついにスウェーデンは正式にNATOの加盟国となったのでした。

ちなみに、ニュースメディア『インデックス』によると、[51] ハンガリーが承認した背景には、同年2月にスウェーデンのウルフ・クリステルソン首相がハンガリーを訪れた際、両国の首脳が結んだ防衛産業に関する大規模な合意がありました。この合意では、ハンガリーがスウェーデン製の戦闘機グリペン４機を購入できること、さらに２０２６年までリースしている14機のグリペンをリース期間終了後に所有できる内容が含まれていたと報じられています。

一進一退であり、なかなか進まなかったスウェーデンのＮＡＴＯ加盟でしたが、その背景にはこうした国内の問題が複雑に絡み合い、隣国フィンランドと比べると、その道のりが困難なものだったのでした。

それではなぜ、スウェーデンには多くのクルド人が住むようになり、また、コーラン焼却が多発する状況が生まれたのでしょうか？　７章で、その背景を掘り下げて記していきます。

本書では一般的によく語られる、北欧のジェンダー平等、子育て環境、働き方など個人の幸せについてだけではなく、ウクライナ侵攻を機にＮＡＴＯ加盟への道を選んだ北欧２か国の国家安全保障状況についても触れ、北欧の人々の幸福を多面的に捉えて記していきます。

●スウェーデン、フィンランドの主な都市

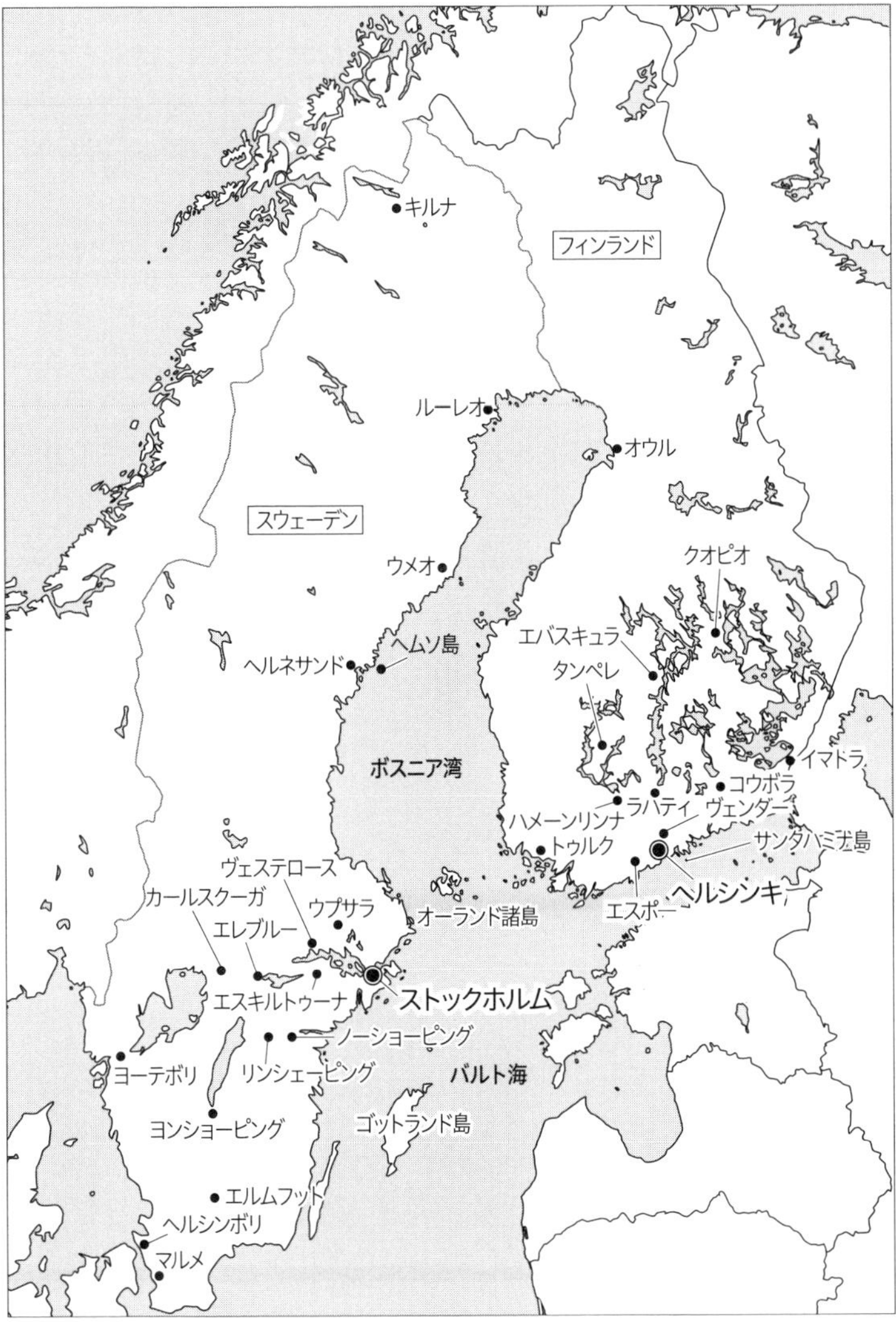

1章

ジェンダー平等と社会の幸福

1 女性目線のジェンダー除雪

冬になると北国であるスウェーデンではたくさんの雪が降り積もります。北部のキルナ市では平均して1メートル以上、最大で10メートル以上の積雪となり、首都ストックホルムでも平均して50センチほどの積雪量となります。しかし、雪の多いスウェーデンでは、歩行時に雪が邪魔で歩きづらいと感じることはほとんどありません。また保育園周りやスーパーへ行く道での除雪は迅速にされるため、子ども連れの女性や高齢者も安心して歩いて買い物に行けるようになっています。それというのもスウェーデンでは、子ども連れの女性やお年寄りの視点からの除雪が実施されているためです。

これは２０１２年から中部の内陸に位置するカールスクーガ市で始まった、女性目線に立った除雪方法「均等除雪」[1]と呼ばれる取り組みです。同市の職員が市内の女性から「雪の日には外出できない」「滑って転んで怪我をする」という声を耳にしたことから始まります。

これまでの除雪は、市の男性職員からの視点で、多くの男性が車通勤するために必要な車道を優先して行われてきました。子どもの送り迎えや買い物をする女性の多くは徒歩や自転車を利用することが多かったのですが、歩道や自転車道の除雪は後回しにされてきたのです。市の男性職員によると、長年にわたって「とにかく車道を最優先するべき」との思い込みがあり、自転車通勤者やベビーカーを押す人たちの視点から除雪を考えることがありませんでした。

しかし、同市で女性からの声が上がると、除雪の優先順位についての議論が行われ、除雪の順番が変更されるようになりました。その後、最初に除雪されるのは保育園や学校の周り、次に歩道や自転車道、そして女性が通勤する職場周りが優先的に除雪されるようになりました。これにより、雪の多い日でも外出できなかった女性の日常生活が一変し、子どもや高齢者も外出しやすくなったのです。

その後、全国的にも「均等除雪」が積極的に導入されます。実際に私の住む街でも歩道や保育所周りの除雪が優先されるので、雪の降る日でも子ども連れで安心して外出する女性やお年寄りをよく見かけます。妻によれば、この「均等除雪」は除雪においてもスウェーデンでは男女平等が進んでいると、フィンランドの国営放送「ウレ」[2]でも取り上げられたそうです。

この均等除雪の取り組みにより、女性やお年寄りの外出がしやすくなっただけでなく、転倒事故も減り医療費も削減できるようになりました。スウェーデン地方自治体協会によると[3]、この除雪方法が全国的に実施されれば、医療費が約130億円削減されると推定されています。現在、全国の自治体では専門の部署を設け、無意識のうちに男性目線で行われてきたさまざまな政策の見直しも進められています。

近年、男女平等の実現には、女性だけでなく男性の視点も重要であるという認識が広まっています。2022年の国際男性デーでは、国連が支援し、男性の役割が男女平等達成において不可欠であることが強調されました。[4]スウェーデンでは男性の社会参加を奨励し、男性の権利と福利厚生の向上を通じて男女平等を進めています。

これには、育児休暇制度の拡充、父親の育児への参加促進、男性の精神的健康とストレス管理への取り組み、性教育の強化などが含まれます。[5]政界では女性議員の割合を増やすためのクオータ制が導入され、政策の策定や実施において男女平等が考慮されています。さらに中央銀行では、金融政策においても男性と女性の視点が取り入れられています。

スウェーデンの男女平等庁のペーター・ヴィクストロム氏は、[6]社会に根付いてきた「男性目線」の見直しは、女性だけでなく男性、子ども、高齢者を含む社会全体に利益をもたらしていると述べています。

男女平等を進めるために、女性だけでなく男性も含めた取り組みが進められているのです。

2 移動手段の男女平等で交通排出量が減少

スウェーデンの第2の都市、ヨーテボリ市では最近、電気自動車が増えてきました。街の至るところに電気スタンドが設置され、多くのバスも電気バスに切り替わり、環境に配慮した持続可能な社会への取り組みが進んでいます。

政府は2011年から積極的に電気自動車の普及を支援しはじめ、2023年時点では、電気自動車（EV・PHEV）の新規販売台数比率は約60％までとなっています。[7] また、2030年までにガソリン車・ディーゼル車の新車販売を禁止する方針も掲げています。[8] さらに、政府はストックホルム近郊で、世界初の約2キロの電気道路を開通させ、走行中の電気自動車が充電できるようにしました。[9] 将来的に3000キロにまで拡大する予定で、今後10年で交通による排出量の70％削減を目標としています。[10] こうした多くの環境対策のなか、さらにジェンダー視点というアプローチからも、持続可能な社会へ向けた取り組みも実施しています。

2020年に政府は、交通・運輸分野におけるジェンダー平等の推進を、運輸庁に指示しました。この指示を受けた運輸庁の調査報告書では、[11] 運輸業界では女性の比率が低く、女性の意見が意思決定に適切に反映されていないと指摘しています。また、公共交通機関の利用に関して、女性は環境に配慮する傾向があり、自転車や徒歩などの移動手段を積極的に活用しているといいます。一方で、男性は車の利用が多く、長距離通勤においても車を選ぶ傾向があり、性別による異なる交通傾向があると報告されています。

このため、運輸庁は伝統的な男性優位の文化を変える取り組みや、デジタル化や自動化を進め女性が運輸業界に参入しやすい環境を整える取り組みを検討しています。さらに、女性のように環境に配慮した移動手段や、女性の視点を考慮に入れた交通政策も進めていくとも述べています。

また、国だけでなく自治体レベルでも、このようなジェンダーの視点からの環境に配慮した持続可能な社会の構築が行われています。一例として、スウェーデン北部に位置するウメオ市では、「男女平等で持続可能な通勤のためのイノベーション」というプロジェクトを展開し、男女の通勤パターンと排出量についての調査を実施しました。[12]

その結果、女性が多く働く医療施設地域では路線バスが充実している一方で、男性が多く働く工業地区ではその数が少ないことが明らかになりました。この調査から、都市内での男女間の「職場の分布」の違いが、男女の通勤手段の違いをさらに拡大させていることがわかったのです。

そのため、都市の構造において、男女の格差を考慮しながら、男性が多く働くエリアでは、路線バスの利用を拡充します。同時に、女性のような環境に配慮した通勤方法として、自転車や徒歩通勤、カーシェアリングを奨励しています。[13] さらに、企業と連携して、更衣室の設置や自転車メンテナンスサービスの提供など、車を使った通勤を減少させる取り組みも行われています。

ウメオ市によると、男性が女性と同じ移動手段を選ぶようになると、排出量が20％減少するとされています。そのため、２０２５年までに自転車・徒歩、交通機関の利用を65％までに増やすことをめざしています。

また、ウメオ市では、女性の視点から、夜間でも安心して利用できる明るい道や公園、高架下のトンネルなど、環境問題だけでなく、持続可能な都市づくりに向けた取り組みも進行中です。[14]

こうした持続可能な都市づくりの概念は、各国で広がりを見せており、パリでは「15分で行ける街」という新たな都市コンセプトが提案されています。[15] 同様に、ストックホルムでも「1分で行ける街」を提唱し、1分の距離内で地域住民がさまざまな活動を楽しめる街づくりが進んでいます。[16] スウェーデン・イノベーション庁は、こうした都市の再設計アプローチが、環境問題対策や持続的な社会づくりを促進させると述べています。[17]

スウェーデンでは、多岐にわたりジェンダー視点を取り入れ、持続可能な未来の実現に向けての幅広い取り組みが実施されています。

3 国会議員の女性の割合は46％

スウェーデンでは戦後、連立政権が一般的で、２０１４年から与党である社民党のステファン・ロヴェーン首相が中道左派による連立政権を率いていました。しかし、２０２１年に新築アパートの家賃統制緩和計画を巡る問題で、左翼党が協力関係を解消し、野党提出の内閣不信任案が可決されました。その結果、ロヴェーン氏は6月に首相を辞任しました。その後、ロヴェーン氏は再任されましたが、8月に党首および首相を辞任する意向を表明し、11月に再び首相を辞任したのです。

後継としてマグダレナ・アンデション氏が社民党の党首に選出され、スウェーデンで初の女性首相が誕生しました。[18] この政権では、22人の閣僚のうち12人が女性で、女性閣僚が半数以上を占めたのでした。

近年、スウェーデンでは女性議員の割合が非常に高く、2023年のアメリカでの女性国会議員（下院）の割合が29・4%（66位）、ドイツが35・1%（45位）、日本が10・0%（164位）、世界平均が26・5%であるなか、スウェーデンでは46・4%と世界で9番目に高い水準となっています。[19] また、市議会（コミューン）においても女性議員の割合は43・3%[20]と高い割合となっています。

では、なぜスウェーデンでは多くの女性議員が選ばれるのでしょうか？

理由はいくつかありますが、1つ目の理由としては平等な社会意識とジェンダー平等への取り組みがあります。スウェーデンは長い間、ジェンダー平等に対する意識が高く、政府や社会全体で積極的な取り組みが行われてきました。そのため、男女平等が重視され、女性の教育や就業機会の拡大、育児や家事の負担の均等化など、さまざまな政策が推進されてきました。これにより、女性が政治への参加に積極的になり、国会議員として活躍する機会が広がっています。

2つ目の理由としては、社会的なサポートシステムがあげられます。スウェーデンでは子育て支援や育児休暇、公共の保育施設の整備など、女性が家庭と仕事を両立するための社会的なサポートシステムが整備されています。これにより、女性が子育てや家事に時間を費やすことなく、政治活動に参加しやすくなっているのです。

さらに、重要な3つ目の理由は、選挙制度における女性枠の設定である、「クオータ制」の導入です。クオータ制とは、人種、民族、宗教、性別などを基準にして、議員や閣僚の一定数を、社会的・構造的に不利益を受けている集団に割り当てる制度です。

その種類には「議会割当制」「法的候補者クオータ制」「政党による自発的なクオータ制」があり、スウェーデンの政党では、自主的にクオータ制を採用しています。[21]

また、国会議員選挙は政党名簿式比例代表制であるため、党内の候補者リストは投票率に応じて上位から選ばれています。しかし、1993年に、社民党が男女交互に並ぶ「ジッパー方式のクオータ制」を採用したことで、女性議員の割合が50％に上昇したのでした。その後、多くの政党でも自主的にクオータ制を導入し、女性の国会議員数が増加したのです。

女性国会議員が増えたことで、政策において女性の視点が反映されやすくなり、女性の社会参加もさらに促進されるようになったのでした。もともと、クオータ制は1974年にノルウェーで発祥しましたが、[22]現在、世界の半数以上の137か国で採用されています。[23]

一方で、クオータ制への批判もあります。[24]カナダのトロント大学で開催されたジェンダー研究会議では、[25]クオータ制が一部の国では違法、または不公正と見なされ、男性が不公平と感じモチベーションが低下する恐れが指摘されました。実際に、ノルウェーの求人に応募した知人の男性は、クオータ制で男性枠がなくなり採用されず、「ガッカリした」と話していました。

こうした意見もあるため、トロント大学の研究会議では、クオータ制を導入する際は慎重に検討すべきとしています。しかし、注意を払い導入すれば、男性だけでは得られなかった新たな視点や、組織内で無意識にあった差別が減少し、組織全体の社会的責任感が促進され、効果的な手段であることも示されています。
いまだクオータ制には賛否両論があり、日本でも導入の是非が議論されています。[26]しかし、スウェーデンの例を見ると、クオータ制導入前は女性国会議員の割合が30％台でしたが、導入後は40％に上昇しました。２００６年には47・３％に達し、世界で最も高い割合となっています。[27]
女性議員が多いスウェーデンは、２０２４年の国連の世界幸福度ランキングで13年連続トップ10にランクインし、[28]英誌エコノミストが選ぶ女性の働きやすい国ランキングでも、２０２０年、２０２１年と２年連続で世界1位に選ばれています。[29]

4 女性首相はもう当たり前

２０１９年12月、フィンランドでアンティ・リンネ首相の辞任にともない、34歳のサンナ・マリン氏が新首相として就任しました。マリン首相は、世界史上最年少の首相であると同時に、フィンランドの歴史上３人目の女性首相となりました。

彼女の率いる政権は、連立を組む5党全ての党首が女性であり、そのうち4人は35歳未満でした。また、閣僚19名中、12名が女性であったため世界に大きな驚きをもたらしました。[30]さらに、マリン政権が樹立した２０１９年の総選挙では、女性議員が47％と、フィンランド史上で最多の女性議員数だったのです。

ただ、フィンランドでは、多くの女性議員や女性閣僚が活躍しているものの、スウェーデンのようなクオータ制は、国会議員選挙に導入されていません[31]。

フィンランドの選挙システムでは、政党が作成した候補者リストに基づいて選挙が行われ、性別に基づく割合の設定が存在しません。これにより、得票数に応じて最も支持を受けた候補者が選出されるため、性別は直接的な選出基準となっていないのです。

それにもかかわらず、フィンランドは女性国会議員の割合が高く（45・5％）、女性閣僚の割合では北欧で1位、世界でも2位（64・3％）を誇っています[32]。

なぜフィンランドではクオータ制を導入しなくても、女性議員の割合が高いのでしょうか？フィンランドにおける女性の政治参加の高い割合の背景には、その歴史が深くかかわっています。1809年から1917年まで、ロシアの支配下にあったフィンランドは、独立運動を経て1906年に、世界で初めて女性が参政権を得ました。その後、第2次世界大戦でソ連との戦いに敗れ、多額の賠償金を支払う状況が生じました[33]。

これが女性の社会進出に関連しており、フィンランド大使館の堀内都喜子氏によると[34]、ソ連へ多額の賠償金を支払う必要があったため、年齢や性別にかかわらず、国民が一丸となって働く必要があり、その結果、男女間の格差が解消されました。

また、1960年代にフィンランドでは工業化と都市化が進展し、女性の都市部での労働が増加しました。これにより、福祉国家への道が開かれました。1990年代には、全ての子どもたちに対して制限なしのフルタイム昼間保育が提供されるようになり、女性の職場進出が加速しました[35]。1995年には男女平等法が改正され[36]、公共機関におけるジェンダー平等の促進が法的な義務となりました。1997年にはジェンダー平等促進のための行動計画が策定され、「ジェンダー主流化プロジェクト」が開始されました。[37]

歴史を遡ると、ロシアからの独立をめざしたフィンランドの歴史が、年齢や性別を超えた平等の意識を生む土壌となったのでした。この長く根付いた社会的意識のもとで、フィンランドでは世界で最年少の女性首相を迎え、その閣僚の半数以上が女性である政権が誕生し、国際社会にも大きな驚きを与えることになりました。

一方で、マリン首相が国際社会を驚かせたのはこれだけではありません。マリン首相は任期中、私的なパーティーの動画や、首相公邸内でのパーティー写真がSNSで拡散され、国内外のメディアで大きく取り上げられました。[38]

これに関して、海外メディアでは、首相の若さや女性であることが強調されました。[39] ですが、フィンランド国内では、首相の職務能力や政治的手腕が焦点となり、若さや性別について言及されることは、ほとんどありませんでした。

実際に、フィンランド人にこのことを聞くと、「この騒動は好ましくないが、首相の政治的な手腕が重要です」と話してくれ、首相のコロナ対策や、NATO加盟の迅速な指導力を評価していました。フィンランド男女平等会議（TANE）の元議長、サリ・ラーッシナ博士も、フィンランドで女性議員は1人の「政治家」として見られ、性別に関係なくその能力で評価されると述べています。[40] さらに、これは政治家に限ったことではなく、どの職業でも同じだといいます。

こうした社会的背景のなか、マリン首相の行動に対する国民の反応は、長年にわたる男女平等への取り組みと、政治家を性別ではなく能力で評価する文化が根付いていることを反映しています。この文化が定着しているフィンランドでは、この出来事にもかかわらず、首相の支持率はほとんど変わらず政権は維持され[41]、翌年にフィンランドは、NATOへの加盟にまで至りました。

もともと、国家の独立から始まったフィンランドの男女平等ですが、その進歩は顕著です。現在、クオータ制を採用していないにもかかわらず、女性の国会議員の割合はとても高く、2023年の世界経済フォーラムの「ジェンダー・ギャップ指数」では世界3位にランクされています[42]。さらに、現在、「女性」という肩書きが、国会議員や一般社会の職業から徐々に消えつつあります。

ラーッシナ博士は、米国ハフポストのインタビューの中で[43]、社会のどの肩書きにも、「女性」と付けられなくなったとき、真の男女平等である社会が実現するのではないかと語っています。

5 平等だから起きる男女平等のパラドックス

スウェーデンは男女平等が進んでいる国として広く知られています。しかし、実際のところ、多くの人が持つイメージとは異なる面があります。一般的には、スウェーデンの女性は主張が強く、独立していると見なされがちです。しかし、スウェーデン人女性は物腰の柔らかく、ファッションや美容に気を配り、多様な自己表現をする人が多くいます。このように、スウェーデンの女性たちは、一般的なイメージとは異なり、個性的であり多様な生き方をしている人が多くいるのです。

2021年の公共放送SVT（以下、SVT）では[44]、男女平等や生活水準の高い国ほど、男性と女性の好み、性格、職業選択に大きな違いが生じるという、興味深い記事が掲載されていました。記事の中で、カロリンスカ研究所の心理学者、アグネタ・ヘルリッツ教授は、男性は物事に興味を持ちやすく、女性は人とかかわる仕事に興味を示す傾向があると述べています。この傾向は、男女平等が進むほど、性別による職業選択の違いが顕著になるとされています。教授は、実際に、スウェーデンでは大工職の99％が男性であり、看護助手や保育士職の約90％は女性となり、この傾向が明確に見られると述べています。

また、リンショーピング大学の脳研究者、マルクス・ハイリッヒ氏によれば、生物学的な説明も可能であり、女性はグループ内で複雑な社会的状況を理解する能力に長けているといいます。さらにこれは、患者との信頼関係やチーム内での協調が求められる医療分野で強みがあると述べています。

科学雑誌「サイエンス」や心理学国際ジャーナルでも、同様な研究結果が発表され[45]、この現象は「男女平等のパラドックス」と呼ばれています。これは、男女平等が進むほど、性別に基づく職業選択が強化されるという、伝統的な考え方とは反する現象を指しています。

また、このパラドックスは、世界的な現象としても見られます。スウェーデンは経済的にも豊かで、男女平等が高いレベルで実現されている国であり、教育面でも女生徒と男生徒は平等に扱われています。しかし、理工系や数学の分野では女生徒の数が依然として少ないのが現状です。

一方、経済的に豊かでなく男女平等度が低い国々では、女性の理工系者が多い傾向にあります。たとえば、インドでは女性の理工系進学率が43%[46]、中国では女性エンジニアの割合が40%[47]、サウジアラビアでは53・9%に達しています。[48]

この傾向は、私の勤めるスウェーデン企業でも見られ、会社は男女エンジニアの割合が等しくなるように努めていますが、実際には男性エンジニアが9割以上を占め、残りの女性エンジニアの大半は、中国やインド出身者となっています。

さらに、このパラドックスは、世界経済フォーラムが発表する「ジェンダー・ギャップ指数」の高い国々でも見られています。たとえば、2023年、この指数が世界2位だったノルウェーでは[49]、女性が保育園や初等中等教育の教師、看護師などの職業に就くことが多い一方で、企業幹部やエンジニアの大部分は男性となっています。特に、技術関連職では、エンジニア職における女性の割合は、1987年の10%から、2007年に12%とわずかに増加するのみで、男女平等が進む近年でも大きな変化は見られません。[50]

また、ジェンダー・ギャップ指数で3位のフィンランドでも同様の傾向が確認できます。[51] フィンランドで看護師として働く知人の女性に、なぜその職業を選んだのか理由を尋ねたところ、「人と接することができ、役に立てる仕事がしたい」という返事を受けました。

これとは反対に、男女平等の順位が低いインドやサウジアラビアでは、女性エンジニアの割合が高く北欧とは逆の傾向にあります。アイルランドのメディア「ザ・ジャーナル」によれば[52]、男女平等度の低い国々では、福祉サポートが限られているため、高収入の技術職に就く女性が増える傾向にあると報じています。

実際に、スウェーデンの大学で環境学を学ぶ、元ＩＴ技術者のインド人女性に話を聞くと、「経済的理由から、インドでは高給を得られる技術者をしていたが、今は本当に興味のあることを学んでいる」と話してくれました。

近年、日本では少子化が進むため、技術大国として技術者の確保が今後ますます重要となってきています。内閣府男女共同参画局の報告書によれば、[53]人口減少が進む日本では、科学技術立国として持続的成長をめざし、イノベーションによる社会課題の解決を図るためにも、理工系分野における女性研究者の活躍推進が急務であるとされています。

しかし、現在、男女平等の進んだ北欧諸国でも、定説とは異なる「男女平等のパラドックス」が現れており、理工系の職業に就く女性が少ないのが現状です。加えて、スウェーデンでは、２０３０年までに約５万人の技術者が不足すると予測されています。[54]

ジェンダー平等は個人の適性と興味に基づく職業選択の自由を促進しますが、それが常に予測された通りに進むわけではないのかもしれません。

6 ＬＧＢＴＱ＋も、進むマイノリティ対策

スウェーデンの首都ストックホルムでは毎年夏に、ＬＧＢＴＱ＋の祭典であるプライド・パレードが開催されます。[55]スウェーデンのプライド・パレードは、１９７１年に中部エレブルー市

2013年、ヨーテボリ市のプライド・パレード

で性的平等を求めて、住民15人ほどが集まるデモ行進から始まりました。[56] これが北欧およびヨーロッパで初めてのプライド・パレードだったのです。

それが今では、約5万人の参加者と50万人の観客が集まるスカンジナビア最大規模のプライド・パレードとなっています。[57] また、パレード以外にも、映画上映、音楽やパーティーなどイベントが楽しめるレストランやバー、著名人によるトークセッションなども設けられています。２０２０年にはヴィクトリア王女がストックホルムのプライドでスピーチをし、２０２２年にはマグダレナ・アンデション首相も参加しました。

また、プライド開催の期間以外でも、街中にはプライドシンボルの「虹色の旗」を掲げる店舗もあります。しかし、これらの店舗は一般の店と同様で、誰でも気軽に利用できます。虹色の旗を掲げるレストランのオーナーによれば、「ストックホルムには、ゲイの人たちをターゲットにしたレストランはほとんどありません。ただ街全体には寛容さがあります」とのことです。[58]こうしたスウェーデンは2019年のフォーブスによるLGBTQ+の観光客に対する友好度ランキングで、世界で首位に選ばれています。[59]

このようにスウェーデンは現在、LGBTQ+などマイノリティの人々に寛容な国として知られています。しかし、過去の歴史の中では少数民族への差別もありました。スカンジナビア半島の北部には、紀元前1万1000年ころから住む、先住民サーミ人が約8万人生活しています。そのうち、ノルウェーには約5万人、スウェーデンには約2万人います。

少し歴史を辿ると、かつてサーミ人は独立した社会を北極圏で築いていました。しかし、15世紀以降、スウェーデンとノルウェーは、サーミ人の居住地を資源利用のため公有地とし、税金を課すなどの措置を取り、サーミ人の追い出しを行いました。[60]17世紀に、スウェーデンではサーミ人をキリスト教へ強制改宗し、また、19世紀に、ノルウェーでも改宗やサーミ語の禁止などの弾圧が行われたのでした。この実情はスウェーデン人の母親と、サーミ人の父親のもとに生まれたアマンダ・シェーネル監督の映画、「サーミの血」でも描かれています。[61]

しかし、1977年、スウェーデンではサーミ人を先住民と承認する法律が可決され、1993年にはサーミ議会が設立しました。さらに、1999年にはサーミ語が公用語の1つとして認められたのでした。[62]そのため現在では、サーミ人は少数民族として保護され、母国語であるサーミ語で教育を受けることができます。また、サーミ語、フィンランド語、メアンキエリ語、ロマニ・チブ語、イディッシュ語は公用語とされており、これらの言葉を母国語として学習もできます。さらに、もしクラスの5人以上の生徒から、同一言語の母国語教育の希望があり、適切な教員が見つかれば、学校はその言語の母国語教育を実施する必要があります。[63] そのため、仮にクラスに日本人が5人いれば、日本語の授業も受けられるのです。

同国における、その他のマイノリティへの取り組みとして、積極的な障害者の雇用があります。障害者雇用に関する主な法律に、雇用保護法、雇用促進法、労働環境法があります。1994年に施行された障害者オンブズマン法では、障害者の権利と利益に関する事項を監視するオンブズマンについて規定されています。[64] しかし、企業や官公庁における障害者雇用を義務づける法律はありません。一方で、障害があるため職を得ることが難しい人に雇用の機会を提供する、世界でもユニークなサムハル社という国営企業があります。[65]

このサムハル社では、障害者の作業に必要とされる能力を、16のカテゴリーに分けて、それぞれを3段階で評価して仕事が斡旋されています。そのため、本人の能力を考慮せず、とりあえず的に単調な軽作業に振り分けることはありません。もし作業ができない障害者がいた場合は、補助金を活用してその問題を解決し、高いマッチングを実現しています。

実際にサムハル社は、通信企業エリクソンや大手家具店イケア、自動車会社ボルボなど国内の有力企業からの下請け作業も多く、国の機関や地方自治体との取引も多くあります。[66] そのため、スウェーデンの企業を訪れると、障害を持つ人が多く働いていることに気づきます。また、街の中でもバリアフリーな環境が整備されており、店舗やバスなどでは車いすが通れるだけのスペースが確保されています。

差別をなくす動きとして、最近、バス停などにある広告に、これまで差別的と受け取られてきた要素を積極的に使用することが見られます。たとえば、あるメガネ店の広告では、すきっ歯が目立つ女性モデルや障害を持つ子どもを起用し、エイジズム（年齢差別）をなくすためか、老人のカップルがキスしているものもあります。スウェーデン人の話では、これまで差別とされてきた要素を取り入れる広告が、最近のトレンドであるそうです。

妻にフィンランドではどうかと聞いたところ、「フィンランドもマイノリティへの取り組みは進んできてはいるけど、スウェーデンほどではないよ」と話してくれました。

過去にサーミ人への差別もあったスウェーデンですが、現在はマイノリティに対する取り組みにおいて、北欧諸国の中でも先駆的な存在となっています。

2章

おとなが育ちあう社会づくり

1 公園にお父さんは当たり前

スウェーデンの公園では、子どもを連れた父親がいるのが日常的な光景となっています。実際に、公園を訪れたとき、そこに母親は1人もおらず、父親と子どもたちだけであったこともありました。街中でも、2人の父親がベビーカーを押しながら話をする姿をよく目にします。これは社会において男性が積極的に育児参加していることを反映しています。

それを支える育児休暇制度は充実しており、子育て支援のため多様な施策が展開されています。

この制度では、育児休暇が最大480日まで取得でき、[1]両親は子ども1人ごとに、出産から8歳になるまでの間、休暇を自由に分割して使えます。また、共同育児も奨励されており、父親にも積極的に出産後10日間の育児休暇取得が促されています。そのため、母親の産前・産後休暇中に両親ともに休暇取得できます。さらに、父親には90日間の「父親の育児休暇」が確保されており、子どもが8歳になるまでに取得しないと、その部分の給付金を受ける権利が失われます。これにより、男性の育児参加が促進されているのです。その結果、共同育児を実践する夫婦が増え、男性の育児休暇取得率は90％以上にまでなっています。[2]

隣国のフィンランドでも、育児休暇制度の改善が進められ、2021年には男性の育児休暇取得率が80％に達しました。このことを妻に尋ねると、妻は、「フィンランドの父親の育児休暇取得率は高くなってきたけど、それでもスウェーデンよりは低いよ」とも話していました。こうした背景を踏まえて、2022年にフィンランド政府は育児法を改正しました。[3]この改正で、2022年9月以降に生まれる子どもに対しては、両親合わせて最大で14か月の育児休暇を取得できるようになりました。

スウェーデンに話を戻すと、スウェーデンでは、育児休暇中に社会保険庁から一部の給与が支給されます。支給額の上限はあるものの、多くの場合、給料の約80％が支給されます。[4]さらに、勤務先によっては、残りの20％を福利厚生として支給されることもあります。ですが、生後18か月以内に育児休暇を取得しないと、給付金を支払わない企業もあります。そのため、生後すぐ育児休暇を取得する男性が増え、結果的に男性の育児休暇の取得が促されています。

日本でも最近、育児・介護休業法が改正され、２０２２（令和４）年10月から新しい規定が施行されています。[5] この改正により、育児休業は2回に分割して取得可能になり、原則として1歳まで、最長で2歳までの育児休暇が認められています。さらに、新設された産後パパ育休制度では、出生後８週間以内に、最大４週間の育児休暇が取得できるようになりました。この新しい制度によって、日本における男性の育児休業取得が促進されています。

そのため、育児休暇の期間だけを比較すると、日本はスウェーデンやフィンランドよりも長くなりました。にもかかわらず、２０２２年における日本の男性の育児休暇取得率は13・９７％であり、[6] 90％以上に達するスウェーデンと比べるとまだまだ低い状況です。

両国の大きな違いとして、育児休暇の柔軟性があげられます。スウェーデンでは両親が休暇の取得方法を比較的自由に決められ、必要に応じて日単位で分割することも可能です。さらに、企業は生後18か月までの育児休暇申請を拒否できません。そのうえ、スウェーデンでは育児休暇の取得がすでに一般的であるため、企業は社員に積極的に休暇を取ることを奨励してきます。その結果、社員は休暇取得をためらうことが少なくなっています。私も子どもが生まれた際、上司が何度もいつ休暇を取るかを尋ねるため、休暇を取らないほうが珍しい雰囲気でした。

スウェーデンの育児休暇制度は、父親も積極的に子育てに参加し、育児を均等に分担することを奨励しています。これは親子の絆を深めるだけでなく、ワーク・ライフ・バランスの向上、家庭内の喜びや幸福の増加、さらには社会全体の幸福度を高めることにもつながっています。

2 ネウボラ保健師による一貫した育児支援

初めて子どもが生まれる家庭にとって、赤ちゃんのために何を買ったらよいのか悩む両親も多いかもしれません。こうした悩みを解決するために、フィンランドでは出産後に両親のもとに、「ベイビーボックス」と呼ばれる無料の育児支援パッケージが、社会保険庁（KELA）から贈られます。[7]

ベイビーボックスには、生後、初めの数か月に必要となるさまざまなアイテムが含まれています。たとえば、寝袋、ウールの衣服、ブランケット、タオル、絵本、お風呂用温度計、爪切りハサミ、歯ブラシ、ヘアブラシなどのグッズが入っています。また、ボックス自体も、赤ちゃんの寝床として利用できる優れものです。実際に知人からベイビーボックスに入っていた衣類をもらいましたが、お下がりでも十分使える質の良いものでした。

この育児支援パッケージは、1937年に、出生率の低さや妊婦の死亡率の高さという問題を解決するために発案されました。[8]その当時は低所得者の母親を支援するものでしたが、現在ではベイビーボックスか、出産給付金の170ユーロをもらうかが選べます。さらに、2023年からはお祝いの言葉の書かれた手紙や、付属の絵本はサーミ語でも受け取れ、少数民族にも配慮したものとなりました。

ただ、2023年のベイビーボックスは、2022年と比べて12点、2021年と比べると17

点も品数が減ってしまいました。フィンランドの公共放送ウレによれば、[9]コロナ禍で原材料のコストが上昇したのに加え、ウクライナ戦争でさらに悪化したためです。意外なところでウクライナ戦争の影響が出ています。

それにもかかわらず、出産給付金よりもベイビーボックスを選ぶ家庭は多く、3分の2の家庭でベイビーボックスが選ばれており、今も人気のある出産時の育児支援となっています。

フィンランドでは、ベイビーボックスのほかにも、「出産ネウボラ」と呼ばれるユニークな制度があります。ネウボラとは、妊娠から就学前の子どもや家族を対象にした支援制度です。[10]ネウボラは市町村が運営し、その利用料は無料です。専門教育を受けたネウボラ保健師を中心に、産前・産後・子育ての切れ目のない支援を提供しています。

また、できる限り同じネウボラ保健師が、子どもの産まれる前から定期的に支援することで、子どもや家族との信頼関係を築いています。さらに、ネウボラ保健師は、必要に応じて医療機関やデイケア施設、学校等との間でコーディネート役も務めています。

こうした広いサポートを実施するネウボラ保健師ですが、フィンランド国立健康福祉研究所（THL）によれば、[11]ネウボラにおけるカウンセリングのサポートは子どもの育児だけではなく、夫婦間の問題や離婚に関することにもおよび、さまざま状況にある家族に対して柔軟かつ幅広い支援を提供しています。

実際に、子育てをしているフィンランド人の女性にネウボラについて尋ねたところ、「子どものことだけでなく、家庭の状況なども気軽に相談できるため、とてもありがたいです」と話していました。

隣国のスウェーデンでもネウボラと似た支援制度があります。出産前は妊産婦保健センター（MVC）で助産師によるサポートがあり、[12] 出産後は児童保健センター（BVC）で看護師によるサポートが受けられます。[13] 基本的には、両国とも似たような支援制度ですが、スウェーデンでは出産前後で異なる組織により運営されているため、同じ助産師によるサポートを受けることができません。

一方で、ネウボラは出生前後で、同じ助産師が担当するため、母親との信頼関係が強まり、さらに家庭状況の理解も深まります。これにより、子どもだけでなく、家族の心や健康のサポートも可能となっています。こうしたネウボラによる一貫したサポートは、母子の健康管理や子育て支援だけでなく、家庭全体の健康や幸福を支える、重要な役割を果たしています。

3 遊びながら創造性を育む制度と施設

北欧は子どもを育てやすい国としてよく知られています。実際に、米国誌USニュースの子育てしやすい国のランキングでは常に北欧諸国は上位にあり、スウェーデンも毎年のように世界のトップ3に入っています。[14] そうしたスウェーデンの少しユニークな子育ての取り組みをいくつかご紹介します。

スウェーデンの第3の都市であるマルメ市の市立図書館はとてもユニークです。[15] カニーニ（うさぎ）と呼ばれる児童エリアは、木の形をした本棚や、草原のような緑のカーペット、森の小屋のような読書用エリア、這って通り抜けられるトンネル付き本棚などがあります。まるで「不思議の国のアリス」の世界にいるかのようで、子どもたちが遊び始めたくなるような仕掛けがいくつもある図書館です。また、子どもたちが多少騒いでも大丈夫なように、大人のエリアとはしっかりと隔離されているため、親も周りを気にせずに、子どもたちを遊ばせておけます。

この図書館のスタッフによると、子どもの創造性やイノベーション、協調性を育むため、館の中を自由に動き回って新しい本を見つけるという、「体験型」の図書館をつくったとのことです。[16]こうした子どもの好奇心を掻き立てるような、遊び心のつまった図書館はマルメ市だけでなく、ストックホルム市やヨーテボリ市など多くの街にもあります。[17]

また、スウェーデンの公園は家族向けのアクティビティが豊富です。多くの公園には無料のBBQ施設が設置されており、動物と触れ合えるエリアもあります。特に公園の遊具は斬新でユニークなデザインが特徴です。たとえば、植物を模したジャングルジムや海の波をイメージした地面、虹やクジラ形の滑り台、お城のような遊具などもあります。また、ミニチュア農園のような遊具もあり、農園主になったような気分も味わえます。

こうしたユニークな公園では、たくさんの子どもたちがキャーキャーいいながら走り回り、楽しい仕掛けを探し回る姿を目にします。また、スウェーデンの公園の遊具は、木製であることが多いのも特徴的です。国内の遊具のシェアが、80％となるハグス社によれば、木の遊具は美しく環境との調和もよく、木の温もりを通して、子どもの発育のサポートができるとのことです。[18]

最近では、子どもが遊べるプレイエリアがショッピングモールや駅、空港内に多く設置され、無料で利用できます。一例として、家具店のイケアでは、無料のキッズプレイルームを提供しており、親は子どもを安心して遊ばせながら買い物ができます。[19] このように、スウェーデンの多くの施設では、子ども連れの家族に配慮してプレイエリアを設けているため、安心して子どもと外出ができるようになっています。

スウェーデンと同様に、フィンランドも子育てに優しい国として知られています。一般的に、小さな子どもを連れて電車に乗るとき、多くの親御さんは子どもが騒いで、ほかの乗客に迷惑をかけてしまうのではないかと、心配するのではないでしょうか？

フィンランドでは、そんな親の心配を解消してくれる、素晴らしい客車があります。フィンランド国鉄（VR）の特急列車の車両には、おもちゃや絵本、また滑り台まで付いたプレイエリアが設置されています。[20] 乗車には座席予約が必要ですが、プレイエリアの利用は無料であり、小さな子どもを連れて旅行する親にとってはありがたく、とても評判のよいサービスです。また、ヘルシンキ市内のバスやトラムにおいても、ベビーカーに0～6歳の子どもを座らせている大人の乗車運賃は無料で、子ども連れの親の外出を支援する優しいシステムが整っています。[21]

子育てしやすい国として知られるスウェーデンやフィンランドでは、子どもに対する取り組みだけでなく、子を持つ親自身も、安心して暮らせる社会となっています。

4 手厚い制度だから出生率低下？

首都ヘルシンキでは、中央駅を中心に走るトラムが人々の日常の足となっています。運転手には女性も多く、この国では女性が積極的に社会に参加している様子が窺えます。

フィンランドでは、2022年の女性の就業率は73・2％と、男性の就業率72・3％より高く[22]、18歳未満の子どもを持つ女性も、約85％がフルタイムで働いています。[23]日本の女性の就業率も71・3％と高いものの[24]、出産を機に離職する女性が多く、パートや非正規社員となる女性が多いという違いがあります。[25]

それではなぜ、フィンランドでは出産後にフルタイムとして復職する女性が多いのでしょう？出産後にフルタイムに戻ったフィンランド人女性に尋ねると、「充実した保育制度のおかげで、子どもを安心して預けながら働けるからです」と話してくれました。

フィンランドでは、保育園法が1973年に導入され、全ての子どもたちへの保育施設の提供が義務づけられました。さらに、1996年の改正で、母親の就業状況にかかわらず、全ての子どもが施設を利用可能となり、女性のフルタイム復職が促進されました。[26]このような保育制度の充実が、女性の職場復帰をサポートしています。

さらに詳しく保育制度について見ると、同国の保育園の申し込みは通常4か月前までにする必要があります。ですが、急いで保育を利用する必要がある場合には、正当な理由があれば

2週間前の申請なら入園が可能です。保育料は所得に応じており、上限は月295ユーロ（約4万8000円）であり、所得が低い家庭では無料となります。[27]また、多くの保育所では朝食と昼食が無料で提供されるため、朝早く仕事に行く親にとっては非常に助かります。

クラスにおける保育士と子どもの比率は、3歳未満では1人の保育士につき最大4人、3歳以上では最大7人です。クラスサイズは、3歳未満で最大12人、3歳以上で最大21人となっています。こうした保育制度により、子どもを持つ女性でも安心して出産後にフルタイムで仕事に復帰できています。

また、保育制度だけでなく、育児休暇制度も女性の職場復帰を支える重要な役割を担っています。2022年の育児休暇法の改正により、[28]両親は320日の育児休暇を均等に分け合い、子どもが2歳になるまで休暇を取得できるようになりました。[29]これにより両親による育児の参加が促進され、女性の職場復帰も促されています。

さらに、フィンランドは、北欧諸国の中でも独自の休業制度があります。この制度では、子どもが3歳になるまでの育休中でも、復帰後に同じポジションに戻ることが保証されています。[30]これにより、育児休暇中に解雇される心配する必要もありません。

3人の子どもを持つ知人のフィンランド人女性に話を聞いたところ、「育児中でもリストラの心配がないため、3回の育休を取りました。また、同じフルタイムの仕事に無事復帰できましたよ」と話してくれました。

さらに、ベイビーボックスやネウボラなどの育児支援も、女性の社会復帰を強く支援するものとして大きな助けとなっています。

そうした行き届いた制度のあるフィンランドですが、一方で、別の問題も生じています。それは、充実した子育て支援にもかかわらず、最近、出生率が低下していることです。２０２２年の出生率では１・３９であり、日本の１・３０とも近い状況になっています。しかし、これは同じ北欧諸国のスウェーデン（１・６７）、ノルウェー（１・５０）でも同様な傾向であり、出生率は高くありません。[31]

この現象は国連の報告で「予期せぬ謎」とされています。[32]一部のメディアでもこの傾向に注目し、北欧の少子化対策の効果に疑問を投げています。[33]こうした福祉が充実する国々で起きる出生率の低下について、現在、研究者たちはさまざまな原因を探っています。

政治学者であり人口統計学者のノラ・サンチェス・ガッセン氏によれば、過去10年間に、北欧諸国の出生率が低下した理由の１つとして、子どもを持ちたくない、または、持ちたくても持てない夫婦の数が増加している可能性を指摘しています。

さらに、ヘルシンキ大学で政治哲学を専門とするアンティ・カウッピネン教授によると、フィンランドはもともと個人主義的な傾向があるが、それが近年、出産するかしないかの選択肢ができたことで、子どもを持つより個人の幸せを追求する人や、「母親」以外の選択肢をとる女性も増えてきたからだと述べています。[34]

近年、先進国では少子化が経済に与える影響に注目が集まり、育児制度の整備が進められています。一方、北欧での出生率が伸びないことにも注目が集まっています。しかし、本来、育児支援とは少子化対策だけではなく、ほかにも大きな意義があるはずです。それは、育児を通して家族間の強い絆を育み、男女を問わず全ての人々の幸福に寄与するからです。同時に、個人の選択も尊重しあえる社会であれば、人々に安心感がもたらされ、「ゆたかな社会」を築くための礎となり得るのではないでしょうか？

5 資格者育成が課題の保育士不足は悩みのタネ

スウェーデンは国土の3分の2を森林が覆い、市内も木々に囲まれた自然豊かな国です。保育所は森に隣接していることが多く、小さな子どもたちが先生と一緒に森へ行く光景をよく目にします。自然が身近に広がるこの国では、子どもたちが美しい自然環境の中で学び、成長を重ねることができます。

第2の都市でありながら自然の多いヨーテボリ市の保育所では、早朝6時から最長で夕方7時まで子どもを預かってくれ、朝食の提供もされます。[35] 現在、多くの家庭が共働きであるため、働く親にとってはとても助かります。

保育園の一般的なスケジュールを紹介すると、朝食後の9時頃に、朝の会が行われます。朝の会では皆で歌を歌い、または、近くの森へ行くこともあります。昼食は10時30分頃に提供され、パンやマッシュポテト、スープ、野菜、牛乳などが出されます。ただ、日本の保育園ほど献立にバリエーションはありません。

そして昼食後は、昼寝の時間となります。昼寝は、床にマットが敷かれ、子どもたちは自分の好きな場所で寝られます。眠れない子は無理に眠る必要もありません。これはスウェーデンらしい教育方針で、子どもたちの個人の自由を尊重しています。

午後は読書や、先生と一緒にお絵描きやパズル、粘土などの創作活動をしたりします。最近では、デジタル教育の一環としてタブレットを使い、音楽や映画の視聴もされています。スウェーデンの遊び方として、鬼ごっこやハンカチ落としなど、皆で一緒に遊ぶよりも、1人ひとりが好きに遊ぶアクティビティが多い印象があります。

2時頃になると軽食が出され、5時頃に両親が迎えに来るまで、外遊びしたり、先生と一緒にまた森へ散歩に出かけたりしています。スウェーデン教育の特徴として、小学校に入る前は読み書きを学ぶよりも、外でたくさん遊ぶことのほうが大切だと考えられています。そのため、保育所では森などへ行くことが多いのです。

さらに、一部の保育所では自然の中での遊びを通じ教える「森のムッレ教室」というカリキュラムを取り入れるところもあります。[36]「ムッレ」とは森の妖精のことです。この授業では先生と子どもたちが森へ行き、先生のお話の中でムッレが現れ、ムッレが子どもたちに森での遊び方や自然の大切さを教えてくれます。

森のムッレ教室を運営するスウェーデン野外生活推進協会によれば、[37]現在、320の幼稚園や学校が会員となっており、1957年の開始以来、200万人以上の子どもたちが参加したといいます。スウェーデン農業大学の研究では、[38]こうした屋外のアクティビティは、子どもの運動能力や協力性、創造力の向上など、さまざまなプラスの効果を生み出すとのことです。

さらに、スウェーデンではインクルーシブ教育も進んでいます。[39] インクルーシブ教育とは障害がある子どもや性的マイノリティの子ども、外国にルーツがある子どもなど、多様な子どもがいることを前提として、全ての子どもを包摂する教育のことです。実際に、現在のスウェーデンには多くの文化ルーツを持つ子どもたちがいます。スウェーデンの教育庁によると、[40] こうしたスウェーデン語を母国語としない子どもたちのためのバイリンガルスキルを伸ばすことも、保育所の1つの目標とされています。そのため、母国語での保育所や授業も設けられています。

こうした子どもたちの個性や多様性を尊重するスウェーデンの就学前教育ですが、現在、問題を抱えています。国内の多くの保育所で、保育士資格を持った職員がとても不足しているのです。2022年のスウェーデン教育庁によれば、国内にいる約10万のフルタイム保育職員のうち、約40％しか保育士資格を持っておらず、3万人以上の保育士資格者が不足していると報告されています。[41] 特にストックホルム地域では深刻で、資格保有率はわずか30％であり、目標とされる70％を大きく下回っています。

保育士資格を持たない職員が多い理由としては、給与の低さと労働環境が良くない点があります。[42] 教師雑誌「ヴィ・レーラレ」によれば、[43] スウェーデンの保育士初任給はヨーロッパの中でも平均的で10位ですが、GDP比や給与増加率では他国に劣るとされています。さらに、1〜3歳児クラスの保育士は最大12人までという基準にもかかわらず、約半数のクラスがこれを超えており、保育士の負担が増しています。[44] そのため、保育士自体のなり手が少ないのです。

２０２２年、教師組合「レーラフォーブンデット」によれば[45]、高品質の保育の提供には適切な労働環境と、資格保持者が不可欠であるが、資格者不足であるため保育所は資格を持たない人を雇用せざるを得ないと述べています。

また、教師組合の会長オーストランド氏は、「現在、教育を全く受けていない職員が保育所で増えていることは、スウェーデンにとって恥ずかしいことです。保育士資格者の不足は、子どもたちの早期および持続的な教育に大きな影響を与えています」と語っています。

この問題に対応して、２０２２年、保育士１人あたりの子どもの数見直しや、給料を上げることを提案する議会案が出され[46]、保育士資格者の数の増加をめざしています。実際に、ヨーテボリ市の保育所の先生は、「現在、クラスに資格を持つ職員がいないため、私は園長の指示で資格取得のために学校に通っています」と話していました。

スウェーデンの保育所では、子どもの自由や多様性を尊重し、自然を通した教育などを実施し、世界的にも画期的な教育を取り入れています。一方で、最近は、保育士の資格者が不足しているため、高い幼児教育を実施するために欠かせない、保育士資格者の育成にも力を注いでいます。

6　誰も取り残さない社会へ、義務教育の延長

フィンランドは、２０００年に行われたＯＥＣＤの学習到達度調査（ＰＩＳＡ）で、読解力分野の１位を獲得して以降、世界的にも高い教育レベルの国として知られるようになりました[47]。

しかし、驚くべきことに、フィンランドはヨーロッパ諸国の中で義務教育を開始した時期が、最も遅かった国の1つでもありました。[48]

１９６８年に、フィンランドでは大規模な教育改革を実施しました。この改革では、国家として人材を最大の財産と位置付け、全ての生徒に公平な教育を提供することを主要な目標としました。この目標のもと、フィンランドでは利用可能な資源の大部分を教育に注ぎ込み、教育水準の向上を図ったのです。[49]

そして、現在実施されている9年間の義務教育も、１９７２年から始まりました。[50] この時期を１９４７年に始まった日本の9年間の義務教育と比較しても、フィンランドの教育開始は遅れていたことがわかります。しかし現在、フィンランドでは義務教育から大学院まで全て無償となっており、世界的にも同国が注目される特徴の1つともなっています。さらに、多くの先進国で義務教育が15~16歳までであるなか、[51] フィンランドでは、２０２１年、前サンナ・マリン政権下では、教育水準の向上と教育格差の是正のため、これまで9年間であった義務教育を18歳にまでに延長したのでした。[52]

新たに義務教育となった、日本の高校や専門高校に相当する後期中等教育について説明すると、普通高校と職業学校が存在します。普通高校には主に大学に進学を希望する生徒が通い、職業学校には大工や電気技師などの専門職に就きたい学生が行くことになります。フィンランド統計局のデータによれば、[53] ２０２０年において普通高校への進学は54%、職業学校へは39%でした。日本では、約73%の学生が普通科高校に進学し、残りは専門高校や総合高等学校へ進学するため、[54] フィンランドで職業学校に進む学生が多いことがわかります。

フィンランドでは個人のやりたいことを重視しています。そのため、個人の興味や選択が尊重され、高校進学であろうが職業学校進学であろうが特に大きな社会的優劣はありません。妻によれば、「大工や電気技師など熟練の技術が必要な仕事を、尊敬すべき仕事と考える人は多い」といいます。日本の文化とはやや違い、フィンランドでは自分が本当に何をしたいかが重要であり、自分が希望する仕事に合わせて普通科高校か、職業学校への進学かを選択しています。

日本の大学・短大に相当にする高等教育には、総合大学と専門大学があります。職業学校を卒業し、さらに、専門性を高めたい場合は専門大学に進学し、または、総合大学に進学することも可能です。反対に、普通科高校から専門大学へ進学することも可能で、柔軟性のある教育制度となっています。

しかし一方で、統計局が出版する「ティエト・トレンディット」紙によると、[55] 1980年以降、9年間の義務教育後に後期中等教育に進学しない、または、中退する若者が増加したといいます。特に職業学校からの中退者が増加しました。[56]

1985年生まれの者では顕著であり、24歳になった時点でも17%の者が、後期中等教育を修了していません。統計局の上級統計官、ミカ・ウィッティング氏によれば、[57] フィンランドの教育制度では職業学校を卒業しても博士号を取得することは理論上可能です。加え、無料の高等教育により全ての人に教育の機会を提供しています。にもかかわらず、実際には低所得家庭や親の学歴が低い家庭の子どもたちは、経済的理由や必要性を感じず、高等教育へ進学しないケースが多いと述べています。

さらに、9年間の義務教育のみを終了した人々（2019年時点で25〜34歳）の雇用率はわずか49%でした。これは、後期中等教育を修了した人の77%、高等教育を修了した人の85%と比較して大幅に低い雇用率となっています。ウィッティング氏によると、過去のデータから、9年間の義務教育のみを終了した人々は、ほかのグループと比べて社会的、健康的、経済的な問題を抱える傾向が強いとのことです。

そのため、こうした人たちを取りこぼすことなく全て救うために[58]、前サンナ・マリン政権では教育水準の向上、教育格差の撤廃、若者の福祉と雇用率の向上を目標としました[59]。そして、その目標の実現のため、2021年からは義務教育を18歳まで延長し、全ての若者が後期中等教育を修了してすぐに、職場で必要なスキルを身に付けていることを保証したのでした。

さらに、フィンランド教育文化省によると[60]、新しい義務教育制度は、従来の無料の学費や学食に加えて、教科書、備品、最終試験の費用、7キロ以上通学する生徒のための交通費も無償化しました。さらに、同省は、学校教育の質の向上や、進路指導や福祉サービスの充実を通じて、全ての生徒が後期中等教育を無事に修了できるために十分必要な支援を提供する計画を明らかにしています。

ただ、この新しい義務教育制度は導入されたばかりで、その長期的な成果はまだ明らかではありません。しかし、フィンランドはほかの多くの先進国に先駆けて義務教育を延長し、教育水準の向上、教育の平等性、国民全体の人材育成を図っています。そして、今、誰もが社会から脱落せず、取り残されることのない社会の実現に向けて歩み始めています。

7　長所を見る、見つけるプログラム

フィンランドは幸福度が高い国として世界的にもよく知られています。その理由の1つに国連が発表する世界幸福度報告書があります。国連は2012年から世界各国の幸福度ランキングを発表していますが、フィンランドは2018年から7年連続で世界一となっており、その高さが国際的に注目されています。[61]

フィンランドでは、学校における子どもたちのウェルビーイングも重要視しています。同国の大使館によれば、フィンランドの高い学力と子どもたちの生活満足度には関係性があると報じられています。[62]その高い学力にも大きく関係する、子どもたちのウェルビーイング向上へ向けた、フィンランドの学校教育プログラムをいくつか紹介します。

まず1つ目に、「シー・ザ・グッド！（See the good!）」と呼ばれるポジティブ教育メソッドがあります。[63]このメソッドでは、生徒の良さや強みを見つけ出し、生徒たちのウェルビーイングの向上をめざしています。フィンランドでもこれまで、ほかの多くの国と同様、生徒の悪い点を正そうとする教育がされていました。しかし、あまり良い結果につながりませんでした。そのため、このメソッドでは、生徒の悪い点ではなく、生徒の持つ強みや良い面に目を向けています。

実際にどのようなものかというと、「勇気」や「誠実」など、人の強みを表す26個の言葉が書

かれた「シー・ザ・グッド」カードを使い、人の強みについて学びます。特にこのカードの使い方に決まりはありませんが、先生が1枚カードを選んで、「これは何のカードだろう？」と生徒たちに尋ね、その強みについて話し合ったりします。また、先生が本を読み、話に登場したキャラクターにどんな強みがあるか、絵に書いたり壁に貼ったりしながら、人の強みとなる言葉を学んでいきます。そして、授業の中で、子どもたちは自分の思うことを友達と自由に話し、楽しみながら人の強みについて学んでいくのです。

また、子どもたちは褒められる機会が少ないと、自分の強みをなかなか認識できないため、自分の強みを認識できるように、「強みの履歴書（Positive CV）」というものをつくります。その方法は、まず紙の真ん中に大きな円を書いて、円の中に、自分が思う自身の強みや良い点を書き込んでいきます。さらに、円の周りを4つに分け、家族や先生、友達などに、その人たちから見た良いところを書いてもらいます。褒める内容は、「今まで解けなかった数学の問題が解けた」「美味しい料理がつくれた」など何でもOKです。ただ強みを書くとき、「優しい」などの抽象的な一言ではなく、具体的に書く必要があります。

このメソッドを開発したロッタ氏によれば、自分の強みや良い点、スキルを言葉にして読むことで子どもたちは自信がつき、さらに、今の自分を知ることで、将来どんな人間になりたいかを考えるきっかけにもつながるとのことです。現在、「シー・ザ・グッド！」はフィンランドだけでなく、世界の20か国でも取り入れられています。

2つ目に、子どもたちの心を落ち着かせるため、マインドフルネスを授業に取り入れる学校も多くあります。[64] ヘルシンキ市にあるアウリンコラハティ小学校では、週に1度、このマインドフルネス授業を設け、瞑想やストレッチなどで心を落ち着かせる方法を教えています。指を使ったリラクゼーション方法もあり、もし気持ちが落ち着かずイライラしているときには、授業中でもこの指先のリラクゼーションをしてかまわないそうです。この学校に通う生徒に話を聞くと、「授業中イライラしているときにやると心が落ち着き、授業に集中できる」と話してくれました。

フィンランド大学の心理学者、マーリット・ラサンダー氏の研究結果によれば、[65] マインドフルネス授業を受けた生徒は、受けていない生徒と比べると健康に対する生活の質（ＨＲＱｏＬ）が高まることが示されています。また、この小学校では生徒の心が落ち着いたことで、いじめの数も減ったそうです。

３つ目に、フィンランドのトゥルク大学が開発したいじめ防止用の学習プログラム、「キヴァ・コウル（KiVa Koulu）」があります。[66] トゥルク大学の研究では、いじめに加担していなくても、周囲で見ている「傍観者」の存在が、いじめを助長しているといいます。そのため、このプログラムでは、傍観者をなくし、いじめの拡大を防ぐことをめざしています。

実際の授業では、子どもたちはいじめが起きた際に、どう行動したらよいのかロールプレイングや話し合いをして学び、いじめられている子に声をかけることや、味方になることの大切さを学習していきます。現在、キヴァ・コウルはフィンランドの90％の学校、さらに、20か国以上の国で導入されています。

最後に紹介する、「体を動かす学校づくり（Schools on the move）」では、[67] 体を使ったさまざま

1位	**フィンランド**	**7.741**
2位	**デンマーク**	7.583
3位	**アイスランド**	7.525
4位	**スウェーデン**	7.344
5位	イスラエル	7.341
6位	オランダ	7.319
7位	**ノルウェー**	7.302
8位	ルクセンブルク	7.122
9位	スイス	7.060
10位	オーストラリア	7.057
・ ・ ・		
51位	日本	6.060

2024年の世界幸福度ランキング。全ての北欧諸国がベストテン入りしている

な学習を授業に取り入れています。たとえば、数学の授業で座標を勉強するにも、机の上だけの勉強ではなく、床に座標を描き、先生が示した座標に生徒が歩いて移動します。また、国語の授業では、習った動詞を生徒がパントマイムでほかの生徒に推測させるなど、体を使った授業を増やしています。これにより生徒の座りっぱなしを防ぎ、学校が楽しく、学習意欲が高まることをめざしています。このプログラムも90%以上の自治体や、80%の学校で導入され、フィンランドでよく知られたプログラムの1つとなっています。

近年のフィンランドでは、こうした生徒のウェルビーイングの向上をめざした、さまざまな取り組みが積極的に実施されています。

3章

仕事・自由・自然が溶け込んだ生活

1　北欧流、出世しない自由

フィンランドの幸福度が高いことはよく知られていますが、スウェーデンも国連の幸福度レポートで上位に位置し、2024年には世界4位にランクされています。[1] 幸福度が高い要因の1つとして、ワーク・ライフ・バランスの取れた働き方があります。2023年に米雑誌フォーブスが発表したワーク・ライフ・バランスの取れた各国の都市ランキングでは、[2] 2位のヘルシンキの次にスウェーデンの首都、ストックホルムも3位にランクインしています。

一般的なスウェーデンの働き方を紹介すると、勤務時間は基本的に8時間です。通常、多くの人は朝早く出勤し、夕方の4時や5時頃に早く帰宅して家族と一緒に過ごし、残業する人はほとんど見かけません。妻によれば、フィンランドでも、残業せずに家に帰り、家族との時間を大切にする人が多いそうです。これは、両国がヨーロッパ連合（EU）の労働規定を守り、労働者の良好な労働条件を確保する努力をしているためです。そのおかげで、多くの人が定時で帰宅できています。

また、スウェーデンやフィンランドでは、多くの企業が職場環境の改善に力を入れています。フィットネスジムやマッサージ施設を福利厚生として提供する企業もあり、労働時間内であれば施設を利用することも認められています。このような柔軟な働き方は日本の企業と比較して自由度が高いといえます。

さらに、北欧では社員が自らキャリアを設計するのが一般的で、会社や上司による指示ではなく、個人による選択が尊重されています。たとえば、ほかの職務に関心がある場合、上司に相談することも可能ですが、社内のイントラネットの求人から、上司に相談せず直接応募もできます。採用されると、上司が異動を拒否することは困難であるため、ほとんどの場合スムーズに異動できます。

職務変更だけでなく、出世についても同じで、空いた上位職には自部署やほかの部署を問わず、自由に応募できます。ただし、採用は個々の職務経歴や人物を考慮して行われるため、もちろん誰もが採用されるわけではありません。それでも、出世の機会は全ての社員に平等に提供されています。

　そうした職務スタイルである理由は、一般的に欧米の企業では、職務を特定の『役割』と見なし、その役割に適したスキルを持つ人材を採用する「ジョブ型」の雇用制度を採用しているためです。このシステムでは、日本企業のように会社がキャリアを決定するのではなく、個人が自分のキャリアパスを自主的に計画できます。

　そのため、出世を望む場合、自分で進むべき道を探し、適切なポジションに応募できるのです。一方で、現在の職位に満足していれば、そのまま続けることも可能です。さらに、異動や転勤は強制されず、自由に選択できます。転勤を希望するなら、転勤可能な職を選択すればよいのです。スウェーデンもこのジョブ型制度を採用しているため、多くの人が自分に合ったキャリアパスを設計でき、ワーク・ライフ・バランスの取れた生活を実現できています。

　しかし、このシステムには欠点も存在します。日本の企業のように会社の決定や年功序列で昇進や給与アップが保証されるわけではありません。そのため、自分でキャリアを設計できなければ、同じ職位に長く留まり、給与の上昇も限られる可能性があります。

　また、キャリア志向が強い人や高収入をめざす人は、2年から3年おきに頻繁に職を変えることが多いため、業務知識の蓄積が難しくなります。さらに、退職金制度もないため、定年退職後の計画も個人の責任です。しかし、自分でキャリアをうまく設計できる人にとっては、ワーク・ライフ・バランスの取れた働き方ができるのです。

　最近、日本でも北欧式の働き方を導入する企業が増えてきています。たとえば、ＩＴ企業のサイボウズ社は、２００７年にライフステージに応じて働き方を選べる人事制度を導入しました。２０１８年には、「働き方宣言制度」という新しい人事制度を開始し、各社員が自分の働き方を自由に定義できるようになりました。[3]

　同社によると、[4]この取り組みの結果、サイボウズ社の離職率は３％前後に低下し、売上高は年々増加しています。しかし、スウェーデンと比較すると、日本ではこうした個々の働き方を広範囲に認める企業は少ない状況となっています。

　もちろん、北欧型の職場スタイルが必ずしもベストというわけではありません。ただ、北欧諸国では個人の尊重が重要視され、さらに、ジョブ型の雇用制度であるため、個人は自分に合った働き方を実現できています。実際に、ワーク・ライフ・バランスを保ち、家族との時間を重視し、仕事にも満足している知人は多くいます。

　こうしたバランスの取れた働き方は、家族との時間を増やすだけでなく、職場での信頼感や安心感も高めます。これが社会全体の信頼感の向上に貢献し、北欧諸国が世界でも幸福度が高い国々として知られる一因にもなっています。

2 長い休暇をとれば手当が出る

　首都ヘルシンキは「バルト海の乙女」とも呼ばれる美しい港町です。市内の中心には白い外観が美しいヘルシンキ大聖堂があり、そのすぐ近くに玄関港である「エテルサタマ」があります。

ヘルシンキ大聖堂とロシア皇帝アレクサンドル２世の銅像

この港はストックホルムやエストニアの首都タリンなどへ向かうクルーズ船や、近距離フェリーの発着地となっています。そして、この港を訪れた人たちは、このバルト海の美しい景色を満喫しています。

さらに、ヘルシンキは首都であるにもかかわらず、街中には緑にあふれる公園が沢山あります。夏になると、公園の芝生で寝転がり日向ぼっこする人や、ジョギングやサイクリングする人、家族でバーベキューする人たちをよく見かけます。年間を通して日照時間が短いフィンランドでは、太陽の光を浴びられるこの夏を楽しむ人が多くいます。そのため、夏に長い有給休暇を取り海外旅行へ行き、趣味に時間を費やすことが当たり前となっています。

妻に以前、なぜフィンランドの幸福度が高いのか尋ねてみたところ、「フィンランドでは夏などの休みの季節に長い休暇が取れて、家族や趣味などの自由な時間が取れるからではないかな」とも話していました。

こうした長く休暇の取れるフィンランドの労働法で

は、[5]フルタイム勤務の場合、1年目は24日、2年目以降は30日の有給休暇が与えられます。また、公務員は15年勤務後には36日間の有給休暇を取得できます。

ほかの先進国の法定年次有給休暇日数は、[6]スウェーデン・デンマーク・ノルウェー（25日）、ドイツ（20日）、フランス（30日）、日本（10～20日）、アメリカ（0日）なので、フィンランドはほかの先進国に比べても、有給休暇日数が多くなっています。

さらに、有給休暇をしっかりと消化する必要もあるため、労働法で夏季（5～9月）の間に24日間の休暇を取ることを定めています。実際には夏季中に24日全て取る必要はありませんが、少なくとも夏季中に12日間の連続した休暇を取ることが義務となっています。

また、日本人にとっては少し驚きかもしれませんが、フィンランドでは有休を取ると休暇手当も支給されます。これは法律ではありませんが、多くの企業で有休を取ると、1日の賃金の50％に当たる休暇手当を支給しています。[7]社員は有休を取れば給料が普段より増えるため、有休取得率は100％近くとなっています。こうした積極的な休暇取得政策により、多くの人たちは夏に長い休暇が取れ、充実した幸せな時間を過ごせています。

実はこうした休暇と幸福の関係について、2009年のスティグリッツ委員会の報告書ではすでに示されています。[8]スティグリッツ委員会とは、2008年にフランスのサルコジ大統領が招集し、ノーベル経済学賞受賞のスティグリッツ教授を中心にGDPに代わる幸福への新しい指標を提案するため組織されたものです。

最近よくSDGsという言葉を耳にしますが、国連の持続可能な開発目標であるSDGsは、この報告書の提案に大きな影響を受けて作成されました。そして、この委員会の報告書では、幸福には余暇も大きく影響しているため、幸福度を示す指標として「余暇の量」を含める必要が示されています。このことからも、フィンランドの長い休暇は、同国の幸福度の高さにも大きく影響しているといえます。

一方で、夏の長い休暇は良い面ばかりでもありません。夏になると官公庁の職員も休暇を取るため、執務時間が短くなり休館するところも多くなります。また、病院も普段と比べて稼働しなくなってしまいます。そのため、余暇の量と社会利益のバランスは今後の課題にもなっています。

それでも、フィンランド人にとって自由な時間の確保はとても重要です。こうした背景からも、法律で厳格に有給休暇の権利を保障し、企業も休暇取得を積極的に勧めています。そのため、有休取得率は100%近くと非常に高い値となっています。このような官民の積極的な休暇取得サポートから、人々は家族や友人と過ごす時間や、趣味などに費やす余暇の時間が確保でき、ストレスの軽減、心身の健康維持、家族とのつながりが強まります。これが、社会全体として高い幸福度の生まれる一因にもなっています。

3 デジタル教育＋デジタル経済

スウェーデンでは、デジタル決済が広く普及しています。多くの店舗ではクレジットカードリーダが設置されており、最近は現金を受け付けない店も増えています。また、支払いのときには、

「スウィッシュ」というスマートフォン用キャッシュレス決済アプリも広く使われており、ＱＲコードを読み取って決済することが可能です。一部のレストランでは支払いだけでなく、メニュー表も注文もＱＲコードという店も出てきています。

現在、広く使われているスウィッシュですが、その普及率は81％に達し[9]、15〜50歳の層で利用率は99％にものぼっています[10]。キャッシュレス化が進むなか、財布を持ち歩かず、クレジットカードや銀行カード、あるいはスマートフォンのみを持ち歩く人々はとても増えています。

経済産業省によれば[11]、２０２２年の日本のキャッシュレス決済比率は36％ですが、スウェーデンでは92％に達し、高齢者でも65歳以上の人々の91％が現金を使わない生活となり[12]、国全体でのキャッシュレス化が進んでいます。

さらに、電子政府化も進んでおり、ほとんどの行政サービスがインターネット上で利用可能です。国連の２０２２年の調査によれば[13]、スウェーデンは世界でも5番目に電子政府化が進む国として評されています。そして、この電子政府化の進展を牽引しているのが、スマートフォン用電子証明書である「バンクＩＤ」です[14]。

このバンクＩＤは、パーソナルナンバー（国民ＩＤ）と紐づけられており、納税や医療サービス、育児休暇申請、失業申請など、さまざまなインターネット上での行政サービス認証に利用できます。たとえば、住民票の取得の場合も、税務署のホームページにバンクＩＤでログインし申請すれば、手数料もなく自宅で印刷できます。このサービスにより、市役所の行政手続きが減少し、時間と経費を節約できるようになりました。さらに、２０１９年から公共部門内での電子請求が義務化されたことで[15]、電子政府化は加速しています。

フィンランドではさらにデジタル化が進み、国連の電子政府ランキングでは、世界で2番目に位置付けられています。また、ＥＵのデジタル経済社会インデックス（ＤＥＳＩ）によれば、同国はＥＵの中でもデジタル経済社会が進んでおり、国民の約80％が基本的なデジタルスキルを保有していると報告されています[16]。

同国では医療分野でもデジタル化が進み、医療機関の間で電子カルテ共有がされています。たとえば、日本では２０２４年から電子カルテの共有が運用を開始する予定ですが、フィンランドでは２０１０年からデジタルプラットフォーム「カンタ」により医療記録、処方箋、患者の健康データが統合され、国民の健康情報管理はすでに一元化されています[17]。

このカンタの「医療記録欄」には、保健センターや病院の治療記録、歯科ケアの記録、検査結果、画像検査、ワクチン接種の記録、医療証明書などが記録されています。「処方箋欄」では、医師が処方した薬を患者も閲覧でき、薬が足りなければカンタ上からリクエストも可能です。現在、全ての公的医療機関と多くの民間医療機関でカンタが利用されています。

カンタの導入により、医師は患者の健康情報を即座に把握し、適切な治療を提供できるようになり、その結果、医療サービスの効率が向上しました。そのうえ、患者も自身の健康情報を簡単に閲覧し管理できるため、健康管理への意識も高まっています。

同国では、医療だけでなくデジタル教育も進んでおり、アプリやゲームも副教材や補助教材として積極的に活用しています。２０１６年からは、プログラミングが義務教育にも取り入れられました。[18] 一方で、このカリキュラムへの導入議論の際には、教師から不安の声も多く上がりました。しかし、官民が協力して教材開発や研修をすることで、大きな混乱もなく導入が実現したのでした。加えて、２０１９年からは高校卒業試験も全てコンピューターベースで実施されています。

近年、日本でも政府によるデジタル化が急ピッチで進められ、北欧や欧州のデジタル化も参考にされています。ただ北欧でデジタル化が進む要因の1つに、ＥＵ加盟国に課されるＥＵデジタル規制に早急に対応している点があります。このＥＵ規則に準じることで、スウェーデンでは２０１８年にデジタル省ＤＩＧＧを設立し、電子認証も進みました。[19] フィンランドでも同様に、２０２０年にデジタル庁ＤＶＶが設立されたのでした。[20]

こうした一歩先を進む北欧のデジタル化の現状を視察するため、２０２３年7月、河野太郎デジタル大臣はスウェーデンとフィンランドのデジタル庁を公式訪問しました。[21] ちなみに、２０２０年に河野デジタル大臣が行政手続きでのハンコの使用廃止を提案し、日本のハンコ文化の見直しが一時議論されました。[22] しかし、あまり知られてはいないのですが、ヨーロッパでもこれまで公的機関では印鑑が使われていました。ですが、２０１４年7月にＥＵで電子印鑑への移行を示すｅＩＤＡＳ（イーアイダス）規則が採択されたことで、ＥＵ加盟国で従来のハンコが使用されなくなったのでした。[23]

現在、ＥＵではデジタル化の進展をめざしており、２０２1年には「デジタルコンパス２０３０」を発表しています。この計画では、２０３０年までのデジタル化のビジョンと指針が示され、Ｅ

Uの主権の確立と持続可能なデジタル未来の実現を目標としています。[24] こうしたEUのデジタル政策に、将来、日本のデジタル政策も影響を受ける可能性もあります。

現在、フィンランドやスウェーデンなどの北欧諸国は、人材を有効に活用し国の経済成長を促進するために、積極的にデジタル化を推進しています。まだ始まったばかりであり、使い勝手やシステム障害などの課題もありますが、北欧諸国はデジタル技術を上手に活用し、国民の幸福度向上に向けた取り組みを先駆的に進めています。

4　少し不便がちょうどいい

スウェーデンの家では、シンプルで機能的な家具が目立ちます。ただ、スウェーデンに限らず、ヨーロッパ各地でも同様な家具をよく見かけます。そうした家具を持つ人にどこの家具か尋ねると、決まって「イケアの家具です」と返答されます。

イケアとは、１９４３年にスウェーデンの田舎町エルムフルトでイングヴァル・カンプラード氏によって設立された家具店のことです。[25]「より快適な毎日を、より多くの方々に」というビジョンのもとイケアは創業されました。２０２４年において、イケアは、世界31か国に４８２店舗、日本にも13店舗を展開しており、世界最大の家具量販店となっています。今もその原点である、カンプラード氏の意志が受け継がれており、たくさんの良質な商品が提供されています。一方で、多くの商品では組み立てが必要で手間がかかります。ですが、スウェーデンではこの手間も気にされず、イケア家具は高い人気を誇っています。

ただ、スウェーデンでは家具の組み立てだけでなく、家庭内のＤＩＹプロジェクトに情熱を傾ける人も多くいます。たとえば、壁の塗り替えや床の張り替え、電気配線工事など、日常の修繕や改装作業も、自分たちの手で行うのが一般的です。そして、こうした作業は忙しい毎日のなかの、リフレッシュとしても楽しまれています。

こうした手間をかけた作業は、家具や内装だけではありません。なかにはなんと、一から家を建てる人もいて、家の土台づくりから外装、内装、そしてサウナやプールまで、あらゆる工程を自ら手がけ、理想の住まいを実現しています。

最近では、自宅建設のための「キット」も販売されていて、２階建ての家で、１００万クローナ（約１４５０万円）ほどから購入できます。[26]自分で家を建てる人の多くは、仕事後や休日に家づくりに励んでいます。そして、何年にもわたるプロジェクトを通じて、自分の手で夢の住まいを実現させ、自作した家での生活に喜びを感じています。フィンランドでも自分で家を建てる人は多く、自分で家を建てたことに誇りを感じ、その家での生活に満足感を得ています。

あるとき、知人のスウェーデン人に、自分で家を建てる人は多いか尋ねたところ、「普通とまではいえないけれど、時間があれば結構な人が挑戦しているよ。特に昔の人たちは、自分の手で家を建てることを夢にしていた人は多かったよ」と教えてくれました。また、実際に自分で自宅を建てた人と話したときは、「家づくりはとても大変だったけど、夢が叶って本当に嬉しかった」と、建築中の写真を見せながら、笑顔で語ってくれました。

日本では一般的に、自宅建設や大工作業は専門家に任せる人が多いかもしれません。確かに専門家に任せれば便利であり時間の節約ができます。これは効率性が重要視される現代社会では大事なことかもしれません。しかし一方で、自身の手で行った活動や経験、また、その過程における充実感や達成感は見逃されがちとなっています。現代の便利な生活では、不便は悪いことのように見なされがちです。しかし、少し視点を変えてみると、その不便さからほかの人の時間を生むこともあります。

たとえば、スウェーデンでは、宅配物は基本的に自分で受け取りに行く必要があります。これは顧客にとっては煩わしいかもしれません。しかし、配達員の労働時間は短縮されるため、その人たちが家族や趣味に費やす時間は増え、その人たちの幸せにもつながっています。

こうしたスウェーデン人のＤＩＹや自宅建築などの作業を通してみると、手間な作業からも、楽しみや達成感が生まれており、不便が一概に悪いとは言えないのかもしれません。また、あえて手間をかけることで、大切な自由な時間を見直す機会にもなり、新たな視点が開けることもあります。案外、不便のなかから幸せへのヒントが見つかるのかもしれません。

5 「ほどほどが大事」幸福なライフスタイル

ストックホルム市内から車で1時間ほど行くと、穏やかで美しい湖ぞいに北欧のヴェルサイユとも呼ばれる、ドロットニングホルム宮殿が見えてきます。この宮殿の白い壁は湖面に映え美しく、広大なバロック式庭園の中を歩くと、まるでおとぎ話の世界にいるかのようでもあります。この場所では、豊かな自然と建物、また人とが絶妙なバランスを保っているため、訪れた人は日常の喧騒から解放され、のどかな雰囲気の中で心地よい時間を過ごせます。

こうしたバランスの理念は、スウェーデン語の「ラーゴム」という言葉にも反映されています。これは「適度な」「ちょうど良い」という意味で、生活のあらゆる面で重んじられています。日本にも「中庸」や「知足」という言葉がありますが、それに似た考え方で「ちょうどいい量が一番、ほどほどが大事」ということです。こうしたバランスの価値観を重要とするスウェーデン人は、過度なストレスや無理を避けながら人生を楽しむことを大切にしています。

この価値観はスウェーデンの職場文化にも表れています。職場では、リラックスした雰囲気が尊重され、上司と部下の間の距離も近く、気軽にコミュニケーションを取ることができます。また、過度なストレスをかけるような指示もあまりありません。そのため、社内はストレスで張り詰めた空気はなく、穏やかな雰囲気が漂っています。

そうした柔らかな雰囲気を生む原因の1つとして、「フィーカ」と呼ばれるコーヒータイムがあります。フィーカはスウェーデン人にとって、同僚や友人とのコミュニケーションを深めるためにとても大切と考えられています。

スウェーデン人の同僚によれば、「話しにくい相手とは仕事がしにくいから、コミュニケーションを円滑にするフィーカはとても大切だよ」と教えてくれました。フィーカを通じて、コミュニケーションを深めることで、職場環境が和やかになり、効果的なチームワークも育まれていま

「北欧のヴェルサイユ宮殿」とも称されるドロットニングホルム宮殿

す。日本でいう仕事帰りの「一杯」と似ているのかもしれません。

さらに、スウェーデン人にとって、散歩や自然との触れ合いも、生活には欠かせない大切なものとなっています。たとえば、夏であれば、家族で森に出かけ、ブルーベリーやラズベリーを摘んだり、湖で泳いだり、バーベキューを楽しんだりします。秋には、「カンタレーラ」と呼ばれる小さな黄色いラッパ形のキノコを採りに行くこともあります。このキノコは甘く独特な香りと食感で知られていて、バターで炒め塩胡椒を加えた後、焼いたパンに乗せて食べるのが一般的です。しかし、このキノコは見つけるのは難しいため、多くのスウェーデン人はその場所を家族や親しい友人にしか教えてくれません。なので、もしその場所を教えてくれたならば、仲よくなった証ともいえます。

また、自然とのかかわりを重視するスウェーデンでは、「自然享受権」というユニークな法律もあります。[27]この法律では、他人の土地でも自由に散策やキャンプすることが許されており、スウェーデン文化の1つにもなっています。

さらに、スウェーデン人のリラックスを生む生活スタイルは、北欧のインテリアデザインにも現れています。たとえば、イケアや、「デザインハウス・ストックホルム」や「ストリング」などの北欧の家具は、シンプルであるものの洗練されており、かつ機能的とバランスの取れたものであるため、世界でもその人気は高く評価されています。また、そうした家具に囲まれた空間は、人々に落ち着きと安らぎをもたらしています。

現代社会はせわしないものとなっていますが、多くのスウェーデン人は、バランスを取り、リラックスした生き方が幸福をもたらすと考えているため、ストレスをためすぎず、無理をしすぎない生活をし、自然との調和を大切にした生き方を心がけています。このような生き方は、心身の健康を保ち、社会的つながりを深めることができるため、幸福とも関係する寛容さを育む要因となるのかもしれません。

6 森と湖を守るカーボン・ニュートラル

フィンランドは環境保護に熱心な国として知られており、長年にわたり、多くの環境課題に取り組んできました。この努力の結果、フィンランドの水質と大気の質は世界基準で、非常に高いとされています。公益財団法人 地球環境戦略研究機関によると、[28] フィンランドの湖の80％の水質が「優れた」または「良い」と分類されています。さらに、2016年のコロンビア大学とイエール大学の環境パフォーマンス指数では[29]、同国は世界で最もクリーンな国と評価されました。こうした結果を生んだ背景には、フィンランド人の環境保護への強い意識があり、その意識は身近に広がる豊かな自然との深い結びつきから生まれています。

フィンランドは、OECD諸国中で最も高い森林割合を持つ、世界有数の森林国です。国土の73・1％が森林で[30]、住民1人あたりでは北欧で最も広い4・6ヘクタールあります[31]。こうした豊かな自然があるフィンランドでは、多くの人々が週末に森を訪れ、憩いのひと時を過ごしています。また、湖も18万8000個あり[32]、緑豊かな湖畔で休暇を過ごす人は多くいます。フィンランド人にとって森は、家族との絆を深める憩いの場となっています。

また以前、妻にフィンランド人にとって自然とは何か尋ねましたが、妻は、「フィンランド人にとって自然は不可欠なもので、生活にも欠かせないよ」と教えてくれました。フィンランド人にとって自然との深い結びつきは、とても大切なもののようです。

こうした自然と生物との密接な関係は、最新の科学研究でも明らかとなってきています。2022年のNHKスペシャル「超・進化論」では[33]、植物のコミュニケーション能力について紹介されました。東フィンランド大学の化学生態学者ジェームス・ブランド氏は[34]、植物は葉が害虫に食べられたとき、周りの植物へも警告する化学物質を放出するという。植物間の情報伝達の仕組みを発見しました。

さらに、カナダの研究では、森の地下に広がる植物のネットワークがあることも明らかになりました。これは、世界中の植物の約80％が菌と共生し、木々間で強力なコミュニケーションネットワークを構築しているという発見でした。このネットワークでは、健康な木が病弱な木に炭素を送ることで、お互いに支え合う共生的な関係が築かれているといいます。

これまでの伝統的な進化論では、「競争」が生存の鍵とされてきましたが、最新の科学研究では、「助け合いと共生」が生命の維持に重要な役割を果たすことがわかってきたのです。もしかすると、フィンランド人が自然と密接につながり生きる生活スタイルは、この自然界の共生と似ているかもしれません。

しかし、前出のジェームス・ブランド氏は、近年の環境破壊が植物のコミュニケーションを妨げ、ミツバチの減少にもつながっていると指摘しています。これは、人間の活動が自然に及ぼす影響の大きさを浮き彫りにしています。また、自然と密接に生きるフィンランドでも、現代社会の消費社会化に伴い、人の活動が環境に与える負荷である、「エコロジカル・フットプリント」が増加している状況です。[35] これは地球への負荷を増大させていることを意味しています。

こうした環境への影響を受け、現在、フィンランド政府は、資源消費量と温室効果ガス排出量の抑制に取り組んでいます。具体的には、サンナ・マリン前首相の提唱した政府プログラムにより、2035年までに温室効果ガス排出をゼロにする「カーボン・ニュートラル」をめざしています。[36] これは将来的に、化石燃料に依存しない社会を構築することを意味します。

この目標を達成するため、同国の環境・気候変動大臣が率いる気候・エネルギー政策閣僚作業部会が設立されました。公開協議を通じて市民の意見を取り入れ、さらに、オープンで透明性の高い政策を推進しています。また、2023年には、クリーンな水素エネルギー利用のため、世界初の海上グリーン水素製造実証施設が設けられ、そのテストに成功もしています。[37]

自然とのかかわりを大切にするフィンランド人にとって、環境破壊は幸せにもかかわる大きな問題です。大切な自然を守るためにも、政府と国民が協力し、化石燃料に頼らない社会を築く取り組みが、世界に先駆け進められています。

7　社会のバランスを生む自由と規制の両立

北欧諸国は、個人を尊重し、強要しない社会的特徴があります。特にスウェーデンでは、フラットな組織文化が根付いた横社会となっており、上司と部下の関係はとても緩やかです。そのため、上司と部下の間でも、自由に意見を述べることが通常となっています。実際に、私の会社のミーティングでも、誰もが自由に意見を言い、上司に対してもほかの同僚と同じように率直に発言できます。また、発言したことで上司から、不快な対応を受けることはまずありません。

さらに、スウェーデン語には敬語というものがありません。そのため、年齢差にかかわらず気兼ねなく話せます。これは、同国の自由で寛容なコミュニケーションスタイルにも反映されています。

対照的に、文化的に儒教が根づく日本では、礼儀や礼節が重んじられています。これにより、日本社会は世界的に規律が正しい国として知られ、社会の規律と秩序を支えています。一方で、規律重視の文化は、人々の自由を制限するため、個人の幸福感の追求には影響が出ることもあります。

国連世界幸福度レポートによると、[38]寛容度と自由度が幸福感に大きく寄与することが示されており、この観点から北欧諸国が高い評価を受けています。寛容度と自由度の高いフィンランドは2024年も再び1位、スウェーデンも4位にランクインしました。日本も上昇傾向でありましたが、昨年より順位を下げ、世界で51位と北欧諸国に比べるとかなり低いランキングとなっています。

スウェーデンの社会では、個人間の差異を最小限にし、個人の尊厳と平等が重視される風土があり、加えて、ストレスの少ない社会づくりが根付いています。企業でも年功序列が存在しないため、厳しい上下関係によるストレスを抱えることはまずありません。さらに、顧客と業者との関係も緩やかです。

一方、日本には「お客様は神様」という言葉があるほど、お客様の要望に答えようとする、お客様第一主義が定着しています。そのため、日本のサービスや製品は高品質であると海外からも評価されています。近年では「リーン」と呼ばれる日本型の生産方式が多くのスウェーデン企業で採用もされています。しかし、リーンを採用する企業で働くスウェーデン人の中には、これまで以上のサービス提供に伴うストレスを感じる人もおり、「なぜ顧客サービスをここまで強化する必要があるのか」と疑問を持つ人もいます。

私の経験によると、スウェーデンの顧客サービスは日本ほど高くないものの、ほかのヨーロッパ諸国と比べると高いほうです。しかし、スウェーデン社会では、自分がサービス提供側に立った場合も考えているため、顧客側も過度なサービスを要求しません。そして、お互いを尊重しながら、極度なストレスをかけずに働くことが重要とされています。

そうした、お互いを尊重し強要しない社会のスウェーデンでは、ルールや規則を楽しんで守る方法を考案し実践しています。たとえば、ストックホルムのオデンプラン駅では、利用者にエスカレーターではなく、健康に良い階段を使ってもらうため、昇ると音が鳴る、ピアノの鍵盤に見立てた階段を設置しました。[39] これにより普段より66％も多くの人が階段を利用するようになりました。[40]

さらに、公園や道路でのゴミのポイ捨てを減らすために、ごみ捨て自体を楽しいものにするというアイデアから、音や声が出るゴミ箱が設置されている所もあります。実際に、私も子どもたちが面白がり、ゴミ捨てをする様子を何度も目にしました。このように、スウェーデンでは厳しい規律だけでなく、人々が面白がって自発的にルールを守る方法を模索しています。

ただ、これまで個人の尊重や強要しない社会、ストレスの少ない働き方の長所のみを述べてきましたが、現実には問題も存在しています。自由な意見交換や個人の尊重が重要視される一方で、広すぎる個人の自由から、会社組織や社会の中で統制が難しくなる場面もあるのです。

たとえば、会社では上下関係が弱いため、上司からの指示通りに仕事をしない人もできます。また、新しい仕事に就いたとき先輩と後輩の関係もないので、仕事をしっかりと教えてくれる人もあまりいず、業務の引き継ぎが難しいこともあります。

別の例でいえば、コロナ禍においては、国民の自主性を重んじられ、マスクの使用は推奨されず、集団感染戦略を採用した国として注目されました。しかし、その結果、高い感染率と多くの高齢者の死亡という状況が生まれました。最終的に政府のコロナ委員会は、自主性に頼る対策の難しさを述べ、高齢者コロナ対策は失敗だったと公式に発表しました。[41]個人を尊重し強要しない社会は、個々の自由度や幸福感を増加させる一方で、行き過ぎれば統制が難しくなるジレンマも持ち合わせています。

ですが、フリーダム・ハウスによる世界の自由度ランキングで、8年連続で1位であるフィンランドは、[42]コロナ禍で自由を尊重しつつも、首都圏の閉鎖やマスク着用を推奨するなど、自由と規制のバランスを重視した対策をとりました。[43]結果として、2020年のピーク時においても北欧の中で最も低い感染率であり、[44]多くの高齢者の死亡も防げました。

知人のフィンランド人は、「個人の自由も重要だが、社会秩序を守ることも同じくらい大事です。コロナ対策で自由と規制とのバランスを両立させたマリン前政権は、国内で高く評価され信頼度も高かった」と話していました。

そうしたフィンランドはコロナ禍以降の2024年の世界幸福度レポート、また、世界の自由度でも依然として、世界の1位であり続けています。

4章 健康と尊厳は政治から

1 エリートより生涯スポーツへ

スウェーデンは健康的な生活と幸福追求の文化が根付いています。国民の平均寿命も長く、2022年の男性の平均寿命は81・34歳、女性は84・73歳であり、[1]長寿国、日本（男性81・05歳、女性87・09歳）[2]と比べてもあまり変わりません。男性においては、スウェーデンのほうがわずかに長いほどです。

長寿の理由として、健康を気遣った食事を取る人が多くいることも1つの要因です。また、最近ではベジタリアンやヴィーガンも多く、健康的でかつ美味しく栄養価の高いヴィーガン・ミート（肉不使用）、グルテンフリー（穀物不使用）、ラクトースフリー（乳製品不使用）の食品がスーパーにもよく置かれています。さらに、伝統的なニシン酢漬けや、サーモンなど魚料理も多く食べられるため、高い健康食材への意識が長寿を生む一因になっています。

さらに、スウェーデン政府は、国民の健康と幸福を支えるため、２００３年に「新たな公衆衛生政策」を策定し、２０１８年にはこれを更新した新たな政策も出しました。[3] この政策では、健康的な活動、職場における健康、健康知識の向上など、８つの分野で国民の健康促進を図ります。そして、この政策を受け、公共の健康施設の整備や運動の奨励キャンペーンなど、多岐にわたる健康生活への取り組みが進んでいます。[4]

一方で、スウェーデン全国スポーツ連盟によれば、11歳になるとスポーツを辞める人が増えていくといわれています。ですが、スポーツがもたらす利益は健康だけでなく、社会にも有益であるため、連盟は「戦略２０２５」と呼ばれるスポーツ制度の改革を進めています。[5] この新たな戦略では、これまでのエリート・スポーツ選手を育成する、「ピラミッド型」のスポーツ制度から、子どもからお年寄りまでが楽しめる、「長方形型」の生涯スポーツ制度への転換を進めています。

これにより、スポーツへのアクセスを広げ、年齢や目的にかかわらず、誰もがスポーツを楽しむ機会を増やし、健康増進が進むことをめざしています。また同時に、国際的なスポーツでの一流選手の育成にも力を注いでいます。

具体例の1つとして、ビーチバレーがあげられます。寒い国のスウェーデンで意外かもしれませんが、実はビーチバレーが盛んです。ヨーテボリ市には世界最大の屋内ビーチバレー施設があり、誰でも気軽に楽しめる環境が整っています。初心者でも気軽にプレーでき、会社のイベントとしてもビーチバレーが楽しまれています。同時に、一流選手の育成にも注力しており、実際に、2023年の男子ビーチバレーのヨーロッパ・チャンピオンシップでスウェーデンは優勝し、その成果を示しました。[6]

また、多くのスウェーデン人が通う、フィットネスクラブも健康生活を支える重要な要素となっています。一般的なジムの価格（月額約280クローナ、約4060円）は比較的安いため、人口の21・4％もの人がジムに通っています。これは日本の3％に比べて非常に高く、人口あたりでは世界1位のジム人口となっています。[7]

さらに、企業も従業員の健康促進に積極的であり、社内にジムを設置する企業や、健康増進活動の参加費用を、年間最大5000クローナ（約7万2500円）まで補助する企業もあります。[8]企業の中には、仕事中にジムで運動をすることを許可するところもあります。

フロリダ州立大学のスポーツマネージメント学部のアミー・チャン准教授は、スポーツが幸福感にどのような影響を与えるかを調査しました。[9]その結果、スポーツをする人々は短期的にも長期的にも幸福感が増加するという結果がでました。さらに、チャン准教授は、スポーツをする高齢者は幸福感が高まるとも述べています。[10]

現在、スウェーデンの高齢化率は2022年で20％と、日本と同様に高い値となっています。

そのため、こうした高齢化社会のなか、健康への配慮がますます重要とされており、企業も、ワーク・ライフ・バランスを考慮した環境整備や、健康増進策を積極的に導入しサポートを行っています。そして、近年始まった生涯スポーツアプローチを通じ、一部のスポーツ選手だけでなく、高齢者を含めて誰もが気軽にスポーツを楽しむ機会を増やし、皆が健康で幸福な生活を築くための環境づくりが着々と進められてきています。

2 ホームドクター制度と長い診察待ち

日本では病気になれば予約がなくても当日家の近くの専門クリニックで医者に診断してもらい、結果もその日に出されることが一般的なはずです。一方で、スウェーデンの医療制度は、ホームドクター医療制度をとっているため、まず地域診療所の総合診察医に診察してもらい、必要があれば専門医を紹介してもらう制度となっています。

1回の診察費用は100クローナ（約1450円）で、年間の上限は1300クローナ（約1万8850円）です。[11] 薬代も2600クローナ（約3万7700円）までと上限があり、[12] その金額以上の医療費や薬代は全て無料になります。これがよくスウェーデンの医療は無料、または低額医療といわれる所以です。

一般的な診察までの流れを紹介すると、病気になったときに「ボードセントラル」と呼ばれる地域診察所に電話し、看護師に症状を伝え予約します。予約なしでもよい診察所もありますが、コロナ禍以降はだいぶ減ってしまいました。また、総合診察医への診察は法律で3日以内と保証され、[13]緊急の場合であれば当日、通常は数日以内に診察してもらえます。

ただし、長いときには1か月待ちということもあります。スウェーデンの市町村と地方自治体（以降ＳＫＲ）の統計によると、２０２３年６月時点で、87％の患者のみが３日以内に受診できたと報告されています。[14]

また、実際の診察も日本とは異なります。日本では通常医者が診察するのが当然ですが、スウェーデンでは長い間、総合診察医の不足に直面しているため、[15]多くのところでは医師による診察があるものの、なかには、看護師による診察がまず先に行われ、必要であれば医師が診察する診療所もあります。そして、看護師が自身で解決できると判断すれば、医師の診察がなされないときもあります。

実際に私は、とても体調が悪いときに受付で「看護師ではなく、医師による診察をお願いできますか？」と尋ねました。しかし、医師による診察はなく、看護師のみの診断で治療もなく帰宅となり、その後も病状は良くなりませんでした。ちなみに、その後の２０２３年のＳＶＴの報道によれば、[16]私の訪れたこの診療所は民間委託であり、自治体から８５００万クローナ（約12億３２５０万円）を不正に請求していたことが発覚しました。これによりヨーテボリ市から詐欺罪で起訴され、現在は自治体との医療委託契約は解除されています。

話を戻しますと、医師に診察してもらえた場合、総合診療医は内科や皮膚科、整形外科など全ての病気に対応します。ただ、実際のところその評判はあまり高くなく、[17]広い医療知識が必要のためか、患者の前でインターネットを使い、症状を調べる医師がいるという話もしばしば耳にします。ただ、そうした総合診察医の診察が終わり、もし総合診察医が解決できないと判断した場合は、専門医へ紹介状を送り、専門医による診察を受けることができます。これがスウェーデンのホームドクター制の特徴です。日本の医療とはかなり違うのではないでしょうか？

また、スウェーデンのホームドクター制の実情として、総合診療医はなかなか紹介状を出してはくれません。2022年の医療雑誌「ダーゲン・メディシン」によれば、[18]医師が紹介状をあまり出しにくい主な理由として、紹介状の作成に関する指針が不明確であるためと記されています。そのため、医師は紹介状にどの情報を含め、どの検査や試験を実施するか、確信が持ちにくい状況に陥っていると同時に、専門医による紹介状の受理審査も主観的であり一貫性がないため、患者が専門医による診察を受けることが難しくなっていると報じています。

もし専門医を紹介された場合でも、専門医による診察は早くて数週間、ときには数か月かかります。長いときは数年待ちもあります。ただ、スウェーデンでは専門医による診断、および手術は90日以内と保証されています。[19]しかし、SKRの統計によると、[20]2023年6月時点で、90日以内に専門医による診断がされたのは68％であり、約15万5000人が専門医による診察待ちです。さらに、90日以内に手術を受けられた患者は58％のみであり、約7万2000人が手術待ちであると記されています。

2023年のスウェーデン公共ラジオSRによると、[21]政府は100億クローナ（約1450億円）を投じ、この診察待ちを解消しようとしましたが、ほとんど効果はなく、今後もさらなる取り組みが必要であると報じています。

一方で、こうした状況下でも民間医療を利用すれば、数日以内で専門医に診察を受けることが可能です。そのため、最近では民間の個人医療保険に加入する人が増えています。その保険料は年齢や保険会社によって異なりますが、一般医療制度と比べると高額です。たとえば、一般的に50歳の人の場合、月々800クローナ（約1万1600円）ほどかかります。[22] さらに初診の際には、病気ごとに700クローナ（約1万円）ほどの医療費が発生します。[23]

これが、福祉国家と謳われるスウェーデンの実情です。こうした高い個人保険料を支払うことで、日本に近いレベルの医療サービスを受けることが可能な状況となっています。

3 「孤独死」も尊厳ある終焉のひとつのかたち

現在、日本では高齢化が進み、2023年9月時点では総人口の29・1％が、65歳以上の高齢者と、世界で最も高齢化の進んだ国になっています。[24] 同様に、フィンランドも高齢化が進んでおり、その高齢化率は23・3％と、世界で3番目に高齢化が進む国であります。

フィンランド国立健康福祉研究所（THL）では、[25] 2030年に高齢化率が26％、2060年には29％に達すると予測しています。そうした同国の高齢化社会において、多くの高齢者はできる限り病院や施設に頼らずに、自立した生活を営んでいます。

この国でもかつては、親が子どもに面倒を見てもらうという風潮がありました。ですが、

1960年代から70年代にかけて産業構成の変化があり、その結果、1970年代以降、高齢者介護が自治体の責務と考えられるようになりました。そして、1982年には、高齢者が可能な限り自立して暮らせる社会を構築し、充実した高齢期を迎えることをめざす、社会サービス法が制定されました[26]。この法律により、高齢者介護が行政の責任となったのです[27]。

その後、1984年には「VALTAVA改革」と呼ばれる健康福祉制度改革が実施され、施設介護からオープン介護への転換が進行しました。さらに、1993年の税制改革により、地方自治体は補助金の使用用途を柔軟に決められるようになります。その結果、施設介護から在宅介護や住宅サービスへの転換が大幅に促進され、高齢者の自立志向がいっそう高まったのでした。

この税制改革以降、老人ホームなどの施設介護は減少し、代わって「サービス付きの高齢者住宅」の数が増加しました。これらの住宅では、従来型の老人ホームが敷地内に設けられ、緊急時には看護師が即座に対応できる環境が整えられています。

サービス付きの高齢者住宅が誕生したことで、老人ホームや病院などの「施設」と「自宅」の中間的な特性を持つ「新たな老後の居住スタイル」が選択肢に加わりました。また、近年では24時間ケアが提供されるサービスハウスも増加しており、「終の住処」としても選ばれるケースも増えています。

私の妻の親戚も、24時間体制のサービス付きの高齢者向け住宅を利用しているので、何度かその施設を訪れたことがあります。住宅の内部は一見すると、普通の総合住宅のようですが、介護が容易なように、車いすでも利用できるシャワーやトイレが完備されています。住居を利用している高齢者に話を聞くと、「老人ホームなどの施設に入らなくても、長い間にわたって、自立した生活を送れるので嬉しいです」と語ってくれました。

一方で、高齢者の中には、介護施設やサービスハウスを利用せず、自宅で介護を受ける人もいます。この場合、家族・親族や民間事業者による介護となります。ただ、フィンランドでは、高齢者の家族や友人など、親しい関係にある人が自宅介護する場合に、介護者に対して自治体から「介護報酬」が支払われる、ユニークな支援制度があります。[28] また、必要性があれば介護者は自治体と介護契約を結べ、介護者年金や傷害保険、介護休暇も受けられるのです。[29]

この制度は、自治体によるサービス提供を縮小させ、在宅介護を促進するために導入され、利用者数は年々増加しています。ただし、介護報酬は低額（最低月額300ユーロ、約4万8900円）であり、介護休日もわずか月3日、介護者への負担やストレスも大きいため、公的サービスの代替となるまでには至っていないのが現状です。[30] このため、THLは親族介護がいっそう増えるように、手当基準の見直しを政府に提案しています。[31]

日本と同様、高齢化が進むフィンランドでは、多くの高齢者がさまざまな形で行政支援を受けながら自立した生活を続けています。ですがときには、誰にも看取られず最期を迎える高齢者もいます。日本では、これが「孤独死」として社会問題に取り上げられることもあります。[32] しかし、フィンランドでは独りで終わりを迎えることに対する悲観的なイメージはありません。むしろ最後まで自宅で幸せに暮らせて良かったという人も多くいます。もちろん、フィンランドでも「孤立死」は問題とされています。しかし、独りで亡くなること自体は問題とされておらず、自立した生き方の1つとして、尊厳ある終焉と捉えられています。

4 若者が高齢者施設で暮らす

現在、日本だけでなく国際的にも高齢者の数が増加しており、2023年の国連の報告書「世界社会情勢報告2023：高齢化する世界で誰1人取り残さない」によれば[33]、2050年までに65歳以上の世界人口が2倍以上に増加すると予測されています。これに伴い介護者の需要も増え、各国が解決策を模索しています。このような介護者不足の状況のなか、フィンランドではさまざまな取り組みが行われています。

その取り組みの1つに「ラヒホイタヤ」という介護資格制度があります[34]。ラヒホイタヤとは、フィンランド語で「身近に世話する人」という意味です。フィンランドでは、日本と同様に少子高齢化が急速に進み、介護者不足が深刻な問題となっています。この問題に対応するため、1993年にラヒホイタヤという資格が導入されました。

この資格は、保健医療分野と社会サービス分野の日常ケアに関する中学卒業レベルの資格を一体化したものです。准看護師、保育士、ホームヘルパーなどの10の資格を統合し、マンパワーの総量は変えずに多様なケアニーズに対応するために生まれました。

ラヒホイタヤの資格を取得するためには、義務教育終了者は3年間の職業訓練学校の学習、普通高校卒業以上の場合は2年間の学習が必要です[35]。カリキュラムのはじめの2年間は一般教養と共通職業教育を学び、保育や看護、介護、リハビリなど、幅広い分野について勉強します。資格取得後は、福祉施設や病院などで働けます。また、看護師になるために大学に進学することも可能です。[36]

ラヒホイタヤでは広範囲の知識が習得できるため、まず資格だけ取得し後で専門性を高めることも可能となっています。また、雇用側も求人の際には幅広い分野から人材の確保ができます。さらに、この資格がＥＵ加盟国の介護資格と同等と認められる場合、ほかの国でも働け[37]、国内だけでなくＥＵ内でも労働力を効果的に活用できます。近年の介護者不足の状況のなか、柔軟的であるラヒホイタヤは多くのメリットを保持しています。

一方で、ラヒホイタヤ制度にはいくつかの課題もあります。現実的に高齢者介護と幼児保育では大きく専門分野が異なるため、サービスの専門性が低下しやすいといった指摘もされています。また、人員不足の解消という点では良いのですが、労働者の負荷が増加してしまう問題も発生しています。

２０２１年のフィンランドの新聞「イルタ・サノマト」によれば[38]、ラヒホイタヤの給料は民間企業の平均月収より低く、労働条件もよくないため、この数年間で３万人が離職したと報じています。日本でもラヒホイタヤ制度の導入が検討されましたが、こうしたデメリットもあるため２０１５年に見送りとなりました。フィンランドでも日本と同様、抜本的な介護者不足の解消策を見つけることが難しいのが現状です。

しかし、政府は積極的にＩＴ機器を活用することで、介護者不足に対処する試みも実施しています。首都ヘルシンキ市では、2014年からパソコンなどのIT機器を活用し、お互いの顔を見ながら話す「遠隔介護」が導入されています。[39] たとえば、ビデオ通話を活用することで、投薬管理や血糖値の管理などが行われています。また、タブレット端末から「薬を飲んでください」と投薬管理の音声が流れたり、薬剤ディスペンサーから1回分の薬が自動的に出るIT機器も導入されたりしています。さらに、高齢者がアラームボタン付きリストバンドを身に付け、緊急時にはコールセンターと連絡が取れる「安心電話サービス」も導入されています。

それと同時に、IT機器だけに頼る無機質的なサポートだけでなく、人間味のある高齢者サポートも同時に進めています。2023年の新聞イルタレヘティによれば、[40] 南部トゥルク市では高齢者と学生とがコミュニケーションを図れるように、高齢者施設内に学生アパートを設けました。この学生アパートは学校のすぐ横と利便性は高いものの、家賃は低額（月360ユーロ、約5万8680円）に設定されています。また、普通の学生アパートのように友達を呼んでもかまいません。ただ、週に5時間、高齢者と一緒に過ごすことが入居条件となっています。

この施設には学生と高齢者の両方が利用できる共用リビングルームがあり、午後6時にはイブニング・ティーが提供されます。その時間に学生は自主的に高齢者と会話やクイズをしたり、ときには音楽コンサートを学生が開催したりしています。ただ、看護業務ではないため、学生は自主的に高齢者との交流を図っています。

施設にいる91歳の高齢者は「若者と高齢者の分け隔てがなく、交流できることは大切だと思います。また、多くの高齢者は大変嬉しく感じています」と話しています。また、学生も「年配の方々から色々な話を聞けて楽しいです」と語っています。このような学生アパートが併設された高齢者施設は、数年前からヘルシンキ市内で導入され、徐々に広がりを見せています。

少子高齢化が進み、2030年には高齢者率が26％に達すると予測されるフィンランドでは、ラヒホイタヤ制度導入や最新のIT機器を積極的に加え、高齢者だけでなく若者にもプラスとなる、仕組みづくりが進められています。そして、少子高齢化が進む社会の中で、誰1人取り残さない社会づくりへの挑戦が、今も続けられています。

5 終活の心配なし 質素で心のこもった葬儀

多くの観光客が訪れるヘルシンキ港には、街のランドマークともなる観覧車「スカイホイール」があります。そのすぐ近くにはムーミンの著者を記念するトーベ・ヤンソン公園があり、公園を抜けて5分ほど歩くと、たくさんのボートが停泊するマリーナが見えてきます。ここでは、個人が所有するボートだけでなく、近くのショップでボートが借りられ、近隣の島々を散策できたり、美しいバルト海を楽しむクルージングツアーに参加したりもできます。[41]

また、このマリーナではクルージングだけでなく、ボートを借りて故人の遺灰を散骨することも可能です。[42] フィンランドでは海での散骨の場合、法律で決まった場所でしかできません。ヘルシンキではヘルシンキ港から南へ数キロ先にある、アブラハミンルオト島とルサカリ島の海域のみでしか許可されていません。[43] そのため、この海域に近いこのマリーナからボートを借りて散骨する人は多くいます。

私も実際にここからボートに搭乗して妻の親戚の散骨による葬儀に参列したことがあります。身内だけの葬儀であり質素ではありましたが、気持ちのこもったものでした。

かつて、フィンランドでは大半の人が福音ルーテル派キリスト教徒でした。しかし、現在、宗教離れが急速に進み、4人に1人が無宗教となっています。[44]そのため、土葬しなくても良いと考える人も増え、海や山で散骨する人が増えています。ただ、海では決まったところに散骨する必要がありますが、自分の敷地であれば、どこで散骨してもかまいません。

宗教離れは進むものの、今もキリスト教徒である人は多く、フィンランド統計局によれば、[45]現在、国民の66%がキリスト教徒です。キリスト教徒であれば通常、自分が所属する教会で葬儀が行われます。また一般的に、招待された人のみが葬儀に参列し、親族や親しい知人だけの家族葬が多くなっています。

また、日本のようなお香典を渡す文化はなく、参列者が自分で花を持参してお供えします。柩は教会の前方に置かれていますが、葬式中に柩が開けられることは普通ありません。そのため、それぞれの人が最後に故人と会ったときが、故人の顔をみた最後となります。

葬儀の中には、花を添える時間が設けられており、その際に花に添えた故人宛てのメッセージカードを1人ひとりが読みあげていきます。そして、最後に牧師が故人の一生を語り、出棺されて葬儀は終了となります。

葬儀後には、日本の「精進落とし」のように、遺族や牧師が一緒に食事をしながら、故人の思い出を語る場もあります。また、故人の近親者の多くは、亡くなった後しばらくの間、派手な服装を避け、祝いごとへの出席を控えるのが一般的です。[46]

宗教や文化は違いますが、どことなく日本と似たフィンランドの葬儀ですが、大きく違うところもあります。日本では葬儀やお墓など、亡くなったときにかかる費用は世界で最も高く、平均300万円にもなります。[47] しかし、フィンランドではその1割から2割ほどの、2500～3500ユーロ（約40～57万円）が一般的です。[48]

お墓の維持費も25年で1000ユーロ（約16万3000円）ほどであり、[49] 仮に維持費を支払わなくても供花や清掃がされないだけで、無縁仏としてお墓が撤去されることはありません。[50] また、低所得者であっても地方自治体から最低限の葬儀費用は支給されるため、費用が工面できず葬儀が行われないこともありません。[51]

日本では「終活」という言葉があり、死後のための準備や貯金する方々もいらっしゃいます。しかし、質素を好むフィンランドでは壮大な葬儀や、お墓の問題もないため、死後の心配をする人はほとんどいません。ときには政治家や有名人が盛大な葬式をすることがありますが、一般的には家族での慎ましい葬儀が大半となっています。

私が参列した妻の親戚の葬儀後に、1人の年配の女性と話をする機会がありました。その女性は話の最後に、「葬儀の形式ではなく、やはり気持ちのこもったお別れが一番大切ですね」と感慨深く語っていました。

6　高齢者コロナ政策の失敗

２０１９年12月31日、中国の湖北省武漢市で新型コロナウイルスの危機が始まり、２０２０年３月末までに１００を超える国で、全面的あるいは部分的なロックダウンが実施されました。[52]しかし、スウェーデン政府は他国と異なるアプローチを取り、50人以上の集会を禁止しながらも、学校や飲食店を通常通りに営業、また、マスクの着用を推奨しないなど、自主性を重視した独自路線の対策を進めました。これにより、スウェーデンのコロナ対策が国際的にも注目されるようになりました。[53]

実際に、この時期、ヨーテボリ市内の道を歩いていても、誰もマスクを着用しておらず、また、近くの高齢者施設でも、面会時の対応は通常どおりの様子でした。

しかし、４月に入ると、同じ北欧諸国であるデンマークと比較して感染率が３倍ほど高くなり、ノルウェー、フィンランドと比較すると約５・５倍も高くなります。[54]さらに、高齢者施設では感染が急速に広がり、多くの高齢者が亡くなる事態となったのです。[55]こうした感染拡大を受け、ストックホルムでは80歳以上の高齢者や重篤な疾患を持つ患者に対して、集中治療室へ搬送しないという、ガイドラインの存在も明るみに出ました。[56]

しかし、スウェーデン公衆衛生局は、集団免疫獲得も視野に入れたコロナ戦略を進めていきます。スウェーデン公衆衛生局の疫学者であり感染対策を指揮する、アンデシュ・テグネル氏は、

4月28日において、ストックホルムではすでに「25％」の人が免疫を持っており、数週間以内に集団免疫を獲得できるだろうと発表しました。[57]

この集団免疫獲得戦略は、国内外で議論を巻き起こします。賛成派は自主性や自由を重んじ、厳しい規制がなくても、経済への打撃を最小限にできると主張しました。一方、反対派は非現実的な戦略であると主張したのでした。[58] 日本でも話題となったこのスウェーデンの集団免疫戦略でしたが、本当に有効だったのでしょうか？

２０２０年5月25日、公衆衛生局は、実はストックホルムの免疫率は25％ではなく、わずか「7・3％」しかなかったと公表しました。[59] また5月下旬において、スウェーデンは過去7日間で、人口あたり世界で最も高い死者率となってしまいました。[60]

その後、第二波が押し寄せ、感染者数と死者数が急増し、２０２０年12月15日に、スウェーデンのコロナ委員会は、「高齢者コロナ政策が失敗」したと公表したのでした。[61]

この報告書によれば、高齢者介護における責任が地方自治体に分散されているため、危機時に全体としてうまく機能させるのが難しいと、高齢者介護の構造上の問題が指摘されています。同時に、この構造上の問題は長年認識されていましたが、パンデミックに備えた適切な準備がされてこず、それが高齢者コロナ政策の失敗の要因であるとしました。さらに、この不備に対する最終的な責任は「政府」にあると明示したのでした。

報告書が発表された数日後、２０２０年12月17日に、スウェーデンの国王は王室の年次番組で[62]、多くの死者を出した状況に、「コロナ政策は失敗だったと思う」と述べました。この発言によりスウェーデンのコロナ対策が失敗として、世界に広く報じられたのでした。
また、国王は、「最後のお別れができなかった家族に思いを馳せると、心が痛む。暖かいお別れの言葉ができないことは、非常につらく、トラウマにもなる経験だと思います」とも述べ、哀悼の意を表明しました。これに対し、ロヴェーン首相も、「これほど多くの死者が出たという事実は失敗以外の何物でもない」と語りました。[63]
こうした状況下、2020年12月20日の英新聞ガーディアンの中で、[64]ストックホルムのセーデルトーン大学政治学部のジェニー・マデスタム准教授は、今後、公衆衛生局の局長、ヨハン・カールソン氏が辞任する可能性があると述べました。
また、地方紙エスキルストゥナ・クリレン紙の編集長エバ・バーマ氏も、「誰かが辞任しなければならないと思います。そうでなければ、社会に対して誰も責任を取らないという、とても強いメッセージを送ることになってしまいます」と語っています。しかし、その後、責任を問われた政府高官や公衆衛生局トップに対して、辞任処分や降格が行われることはありませんでした。[65]
それ以降、ワクチンの普及が進んで死亡者数が減少し、コロナは社会や健康に対する脅威ではないと判断され、2022年4月1日、約2年間に及んだコロナ危機は終息したのでした。[66]
コロナ危機当初の2020年4月、ストックホルムでは、持病のある高齢の感染者は、病院で治療を受けられない状況下にありました。[67]その結果、コロナ感染した72歳のモーゼスさんは、治療が受けられず4日後に息を引き取り、当時大きなニュースとなりました。それから2年後の2022年2月、姪のジュリアナさんは、スウェーデンのテレビTV4の番組取材で現在の心境を語っています。[68]

ジュリアナさんは、叔父モーゼスさんは心が広くて優しく、まるで父親のような人であったといいます。そして、高齢者施設での感染拡大や、叔父が治療を受けられなかったことなど、当時の出来事を振り返るなか、「私は叔父に起きたことの後、社会に対する信頼が揺らぎました。今のスウェーデンで歳をとることが心配です」と話しています。

最後に彼女は、コロナ対策に関与した首相や関係者からの「お詫びの言葉」があることを切に願っていると語ったのでした。

7　福祉国家でも民営化が進む高齢者介護

スウェーデンは「揺りかごから墓場まで」の福祉国家としてよく知られています。特に1970年代には子育て、教育、高齢者介護の革新的な政策を先駆けて導入し、長い間注目されてきました。しかし、最近、スウェーデンの高齢者介護で変化が表れてきています。

1980年代まで高齢者介護は全て公的機関が提供してきましたが、近年、民間企業による提供へ移行しつつあります。[69] 2022年時点では、在宅ケアサービスの24％、介護施設の20％が民間企業により提供されています。[70] 特にストックホルム市では、在宅ケアの63％と介護施設の47％が民間企業により運営され、17％は外部に委託されているのです。[71]

ではなぜ高齢者介護の民営化が進んだのでしょうか？

この変化の背景には、1992年の「エーデル改革」という高齢者介護の大きな改革が影響しています。エーデル改革前、県は保険医療を担当し、市町村は高齢者ケアの担当と、それぞれ別々の責任を負っていました。しかし、80年代から90年代の急激な財政悪化を受け[72]、エーデル改革で高齢者医療と福祉サービスが統合され、歳出の削減がめざされました[73]。

この改革により、入院患者の大幅な減少や高齢者向け住居の整備など、ポジティブな変化が見られました。一方で、高齢者の訪問看護では県と市町村の責任が分立し、連携がうまくいかない問題も生じたのでした。先に、コロナ禍での高齢者介護での構造上の問題を記しましたが、この問題もエーデル改革に起因しています。

エーデル改革が実施された背景には、1970年代から1980年代にかけての新自由主義の潮流が大きく影響しています。当時、多くの国で「小さな政府」が掲げられていました。スウェーデンも例外ではなく、80年代から90年代の経済危機を受け、当時、自由党と連立を組んでいた穏健党政権が、新自由主義的な政策を採用しました[74]。その一環として、エーデル改革が実施されたのです。

また、エーデル改革では競争原理が導入されたため、市町村が介護サービス事業所の運営を民間に委託する動きが進みました[75]。さらに、2009年、当時の穏健党政権は、公共サービスの選択の自由と競争の促進を重視する「選択の自由促進法」を施行し[76]、2009年以降、民間の高齢者介護サービスが急増したのでした。民営化の結果、コストの面での向上や市場競争によるサービスの多様化を生みました。しかし、一方で、投資家の収益重視運営によるサービスの低下も発生したのでした。

その一例に、２０１1年に民間企業カレマ社が運営する高齢者介護施設で、高齢者への虐待やオムツの交換を減らすなどの不祥事が発覚した事例があります。[77] 新聞アフトンブラデットによれば、[78] この不祥事は企業が利益を追求し、人件費などの大幅なコスト削減がされていたことが要因だと報じています。

この後、カレマ社は「ヴァルダ社」に名称変更し、施設の問題点を改善した結果、顧客の満足度は増加したと発表しました。[79] また、医療提供者団体であるヴォードフォレタガーナも、その後実施した調査で、ヴァルダ社（旧カレマ社）の介護施設は、公営の介護施設よりも効率的で、質も高いとの報告を出したのでした。[80]

しかし、ストックホルム大学教授の社会労働学のマルタ・ゼベヘリ教授は、ヴァルダ社は調査期間中のみ利益を抑え、多くの介護者を雇用した。だが、調査後は利益重視に戻り、人員削減を実施しており、さらに、ヴァルダ社と調査会社は協力関係にあったと批判したのでした。[81] このカレマの不祥事後、スウェーデンでは高齢者介護の品質や安全性への懸念が高まり、介護の民営化や収益志向に関する議論も高まりました。[82]

ではその後、民間の介護施設での状況はどうなったのでしょう?

カレマの不祥事から約10年後の２０２２年、労働組合「コミューナル」は高齢者介護施設における雇用条件と給与の比較に関する報告書を発表しました。[83] その報告書によると、民間の高齢者介護の従業員は公営に比べ給与が低く、短期・非常勤の従業員も多く、その差は年々拡大しているといいます。さらに、民間の介護者の中には辞めたいと考える人が多いと記されています。こうした状況に対し、組合長のラグネゴード氏は、「企業が利益を最大化するために人件費の削減を実施していることは明らかです」と述べています。

このように、現在でも介護が公営であるべきか、または民営であるべきかの議論は続いています。[84]一方で、2022年のSVTが東部イェヴレボリ市で実施した調査では、高齢者施設は公営であるべきと回答した人は、1人を除き全員だったとも報じられています。[85]

近年、高齢者介護の民営化の進むスウェーデンですが、隣国のフィンランドでも2023年1月1日から「SOTE改革」と呼ばれる公共の健康、社会福祉、および救助サービスの組織改革が開始されました。

SOTE改革は、全ての国民に平等で質の高い健康と社会サービスを保障し、健康と福祉の不平等を減少させることを目的としています。しかし、政府は少子化に伴う税収減と高齢化による経費増大を背景に、高齢者介護を含め民間へ委託を進め、経費の削減を図ることも念頭に置いています。[86]北海学園大学の横山純一名誉教授は著書『転機にたつフィンランド福祉国家』の中で、[87]SOTE改革により民間委託がいっそう進むだろうと記しています。

福祉国家として知られるスウェーデンやフィンランドでも、近年の少子高齢化や財政状況から民営化の動きが広がり、直面する課題と、高齢者の健康と幸福とのバランスを保つ、解決策の模索が続いています。

5章

移民多文化社会と治安のジレンマ

1 難民・移民の受け入れに賛否

スウェーデンは人口約1000万人にもかかわらず、世界的に影響力のある多くの文化人を輩出しています。たとえば、映画界のイングリッド・バーグマンや音楽界のＡＢＢＡ、カーディガンズなどがその代表です。これらの著名人から、スウェーデン人は金髪で青い目とイメージする人は多いのではないでしょうか？　しかし、現在のスウェーデンは、この伝統的なイメージから大きく変化しており、国内の多様性が増しています。

最近のスウェーデンでは、ヒジャブを身につけたイスラム教徒の女性やアフリカ系、中東系の人々が増え、街の風景も多様化しています。また、市街地から離れた郊外を訪れると、多くのアフリカ系や中東系の民族背景を持つ人たちが住むエリアも存在し、多国籍のレストランや店が多く建ち並んでいます。今のスウェーデンは、一般的にイメージされる北方のヨーロッパ系の人たち（ノルド人）で構成される社会とは、少し違った印象を受けるようになっています。

こうした多様性の増加の背景には、長年にわたる移民や難民の受け入れの歴史があります。

１９２０年代、スウェーデンから多くの人たちがアメリカへ移民しました。しかし、その後は、逆にスウェーデンへ多くの移民がやってくることになりました。[1] 特に１９６０年代から１９７０年代初頭にかけて、第２次世界大戦を免れたスウェーデンに多くの労働移民が集まったのでした。

１９７０年代と１９８０年代には、スウェーデンの首相オロフ・パルメが、「スウェーデンモデル」と呼ばれる福祉政策を掲げ、国際的にも民主主義、人権、平和、紛争解決などの人道主義的な取り組みを実施しました。[2] この結果、スウェーデンは世界的に人道主義国家として知られ、[3] さらに多くの難民を受け入れるようになりました。[4]

１９８０年代、イラン・イラク戦争時には、イラク人約７０００人と、イラン人約2万７０００人を含む、中東やアフリカ、南米諸国から多くの難民がスウェーデンにやってきました。[5] １９９０年代には、バルカン半島での戦争から、10万人以上のボスニア人と、３６００人以上のコソボのアルバニア人がスウェーデンに移住したのでした。また、２０２２年のウクライナ侵攻により、約5万人のウクライナ人が難民としてスウェーデンに避難しました。[6] そのため、街を歩いていると、外見では先住のスウェーデン人のように見えても、実は旧ユーゴスラビアやウクライナ出身の人々も多くいます。

難民の流入がピークに達したのは２０１５年で、シリア内戦から逃れたシリア人を中心に、アフガニスタンやイラクからも、合わせて9万人近くの難民が到着しました。新聞エクスプレッセンによれば、[7] この急増により、一時的に1万５０００の難民用の宿泊施設が不足する状況となりました。

実際に、シリア人難民から聞いた話によれば、１９９０年代にスウェーデンに多くの難民がやって来た際、スウェーデン人があまり住まない郊外に多くの難民が定住したため、難民地区が形成されました。そして、２０１５年の難民の住居不足により、多くの人々が親戚を頼りに郊外に移り住み、難民地区が広がったといいます。

また、２０２２年のＳＶＴは、[8] 自分で住居を手配した人への1日の支給額は１９９４年と同じ71クローナ（約１０００円）であり、最低限の生活水準を下回っていると報じています。そうした状況下、知り合いの難民の話では、「ドイツに行けばよかった」という人も多くいたそうです。

２０１５年以降、難民の流入は減少し、代わりにＩＣＴ分野で中国人とインド人の労働者が増加しています。[9] ２０１９年には、インド人移民がシリア人を超えて最も多くなり、２０２２年だけで約８０００人のインド人がスウェーデンに移住しています。また、建築労働者が多いポーランド人も、４６７７人移民してきています。[10]

こうした状況を詳しく示す、スウェーデンの「産業経済評議会」の報告書によれば、[11]現在の各業界における外国生まれの移民の割合は、IT通信業界や製造業では15％、ホテル・レストランでは40％、介護業界では20％、ほかの業界でも似たように外国生まれの移民が多くなっていま す。また、アフトンブラデット紙は、[12]現在のスウェーデンは移民がいなくては経済が成り立たなくなっていると報じています。

さらに、2022年のスウェーデン統計局の統計によれば、スウェーデン以外にルーツを持つ外国人背景者は人口の26・8％を占めています。[13]ただ、この統計は、親のどちらかがスウェーデン生まれであれば、スウェーデン人背景として集計されるため、民族的背景を示した統計ではありません。私の肌感覚では、ヨーテボリ市の市街地であれば、統計上の数字を超えて、半数近くの人々がヨーロッパ外から来ており、社会の多様化が顕著であるようにも感じられます。

それでは、隣国フィンランドの移民状況はどうかというと、歴史的にもスウェーデンほどの移民はいません。2021年時点での外国人背景者の割合は8・4％であり、移民の出身国で最も多いのはエストニア、ロシア、スウェーデンと近隣諸国です。[14]そのため、フィンランドはスウェーデンほどの多文化社会にはなっていません。

近年、こうした多様な人々の流入で、多文化社会へと変わりつつあるスウェーデンですが、この変化に対し多様性を歓迎する人々もいます。しかし一方で、社会が急速に変わることへの「不安」を感じる声もあり、さまざまな意見や所感が人々の間で交錯し始めています。

2 映画を超える凶悪犯罪の急増

２００９年に、ストックホルムでハリウッド映画のような、大胆な強盗事件が発生しました。犯人は、市外の飛行場から盗んだヘリコプターを使い、世界最大の警備保障会社「G４S」の施設屋上に着陸。そこから現金３９００万クローナ（約5億６５５０万円）を強奪したのでした。

アフトンブラデット紙が伝えるところによれば、[15] ４人組の強盗団は、屋上のガラスを爆破して施設に侵入しました。警察はヘリで急行しようと試みましたが、強盗団がヘリポートに仕掛けたダミーの爆弾により、数時間足止めされたのでした。その間、犯人は現金の入った袋をヘリに積み込み、20分後に飛び去ります。

事件発生から3時間後、逃走に使われたヘリは市内の北、アーニンゲ地区の森で発見されたものの、犯人たちはすでに逃走していました。この状況下、警備会社G４Sは７００万クローナ（約1億円）の懸賞金も出したのでした。それから4日後、ついに犯人６人が逮捕され、この逃走劇は幕を閉じました。

この事件は、その計画性と大胆さから、スウェーデンの犯罪史上でも異例のものでありました。[16] そのため、国内外で大きな注目を集め、[17] その後、スウェーデンの作家ヨナス・ボニエ氏によって小説化され、[18] ２０１９年に映画も公開されました。[19] 一方で、警察の対応や空軍との協力の不足に対しての批判もありました。[20]

しかし、スウェーデンの犯罪史における顕著な事件はこれだけではありません。2021年には、エスキルストゥーナ市のヘルビー刑務所で、前代未聞の事件も起きました。2人の殺人犯囚人が、刑務官2人を人質にする事件が起きたのです。SVTによると[21]、カミソリの刃から自作した武器を使用し、監視室で刑務官2人を人質に立てこもりました。犯人は逃走用のヘリを要求しましたが、この要求は受け入れられませんでした。そこで犯人は要件を変更し、人質解放の要件として、「ケバブピザ」20枚をほかの囚人に提供することで、人質を1人解放するとしました。刑務所側はこの要求には応じ、6時間後に1人の人質が開放され、後にもう1人の刑務官も無事に解放されたのでした。

SVTのインタビューで刑務所の警備責任者ヨーゲン氏は、「これは私たちにとって非常に厳しい事件だった。職員の安全は最優先です。この事件の原因と今後の対応策についてしっかりと調査します」と述べています。ただ、そのインタビューの中で、ピザ店のスタッフ、ベシャールさんは、「まだピザの代金を受け取っていません」とも語っています。

冗談のようにも思える刑務所での人質事件ですが、実際には深刻な問題が指摘されています。日刊ニュースのザ・ローカルによれば[22]、近年、スウェーデンの刑務所は収容過多の状態が続き、職員への暴力や武器所持者が急増しています。2023年時点で、囚人数が4年間で約1000人増加し、国内にある39の施設のうち、33が過密状態となり、収容能力が足りない状態が続いているのです[23]。

囚人が急増する背景には、ギャングによる凶悪犯罪の増加があります[24]。英新聞ガーディアンによれば、[25] ２０００年以降、ギャングの銃撃事件が増加し、スウェーデンはこれまでヨーロッパで最も銃撃事件の少ない国から、この10年でイタリアや東欧諸国を追い抜いて、最も銃撃事件が多い国の１つに躍り出たと報じています。

また、スウェーデン犯罪防止委員会（Brå）の報告書によると、銃撃事件での死亡者は、２０１１年から２０１９年の間で2倍以上に増加。死亡者率も１００万人当たり年間４人と、ヨーロッパ平均1・6人より高いと報告されています。このような状況から、逮捕者が増えて、刑務所が過密状態となっているのです。

政府は10年以内に、９０００人収容の刑務所の建設を計画しています。しかし、それでも足りないとスウェーデン刑務所・保護観察局は述べています。[26] ヘルネサンド刑務所の労働組合代表であるピーター・ヘムストローム氏は、２０２３年1月のＳＶＴの記事で、[27]「深刻な事態が発生するのは時間の問題です」と語っています。

その後、２０２３年7月にノーショーピング市の刑務所から5人の囚人が脱獄する事件も発生しました。[28] 住民の間では不安の声が高まりつつあります。[29]

近年、急増するスウェーデンでの凶悪事件ですが、国民の安全や幸せにも影響が出始めています。そのため、この章ではその犯罪状況についてもう少し掘り下げて記していきます。

3 ヨーロッパで最も危険な国？

ストックホルムの南部には海に面し行き交うフェリーを一望できるハンマビー・ショースタッド地区があります。この地区は多くの富裕層が住む高級住宅街としても知られています。この高級住宅街で痛ましい事件が発生しました。有名な音楽ストリーミングサービスで数百万回再生され、国内外で広く知られるスウェーデンのラップアーティスト、エイナル氏が、2021年10月にこの地区の路上で射殺されたのでした。[30] その後の警察の捜査で、この犯行はギャングによる銃撃事件と判明し、スウェーデンで大きなニュースとなりました。しかし、この悲劇は、最近、スウェーデンで頻発する深刻な犯罪の一例であり、この事件に限られたものではありません。

近年スウェーデンで起きた痛ましい銃撃事件として、2015年にヨーテボリ市で起きた無差別乱射事件があります。同市内のビスコプスゴーデン地区にあるバーに突如4人の男が押し入り、ライバルギャングの男を襲撃し、AKMアサルトライフルで無差別乱射したのでした。そのとき、店内はサッカーの試合を見る客で賑わっていました。ヨーテボリ新聞によると、[31] この無差別乱射事件で2人が死亡し、8人が負傷したと報じられています。ヨーテボリ市警察署長はこの銃撃事件を「2015年で最悪の前例のない事件」と語っています。[32]

ビスコプスゴーデン地区は中心地からやや離れた郊外にあり、主に移民や難民が多く住む地区です。観光客が訪れるような場所ではなく、一般的なスウェーデン人が多く住むエリアとは異な

ハンマビー・ショースタッド地区に架かる橋からの街並み

った雰囲気が漂っています。事件後もビスコプスゴーデン地区では多くの銃撃事件が起きました。

なかでも、衝撃を与えた事件として、2021年7月に起きた警察官殺害事件がありました。ギャングメンバーがいると通報を受け駆けつけた警察官が、10代の男に銃撃され殺害されたのでした。この事件後、警察はビスコプスゴーデン地区での取り締まりを強化し、その後この地区での銃撃事件は減少しました。

しかし、ほかの地区では同様な銃撃事件は頻発し、2023年4月には一般市民の多く住む市内中心の住宅街でも銃撃殺害事件が発生しました[33]。これまで銃撃事件は主に、移民や難民が多く住む郊外地域で発生していましたが、最近では市内の中心地でも銃撃事件が増えてきています。実際に、私の周りにも、拳銃を持ったギャングが警察に追いかけられる姿や、銃撃事件を目撃した知人もいます。

スウェーデン警察の統計によると、[34]２０１６年に25件だった拳銃による事件は、２０２２年には10倍以上の３９１件に増加しました。同年の死亡者数は62人に達しています。これに対して、日本では２０２２年に銃器による発砲事件が９件、死者数は４人でした。[35]この比較から、スウェーデンの銃撃事件の頻度は日本と比べて人口比で約５２４倍、死亡者数は約１８９倍となることがわかります。このデータは、スウェーデンにおける銃撃事件の深刻さを示唆しています。

しかし、これまでスウェーデン政府は、移民や難民の増加が犯罪の増加と直接関連していないとの立場を取ってきました。一方で、スウェーデン犯罪防止委員会（Brå）は、異なる出生背景を持つ犯罪容疑者の比較を行いました。２０２１年の報告書によると、[36]外国生まれの容疑者は、スウェーデン生まれの容疑者と比べて2・5倍多く、さらに、外国生まれの両親を持ちながらスウェーデンで生まれた容疑者は、スウェーデン生まれの両親を持つ容疑者の3・2倍であるという結果が出たのでした。

また、報告書はその要因として、外国人背景の犯罪者は、居住地区が隔離され、低学歴であり仕事や教育が欠如し、スウェーデン文化に馴染めず、戦争でのトラウマを抱えていることなどから、犯罪率を引き上げていると指摘しています。この報告書により、移民・難民などの外国人背景者と、現在スウェーデンで増加する凶悪事件には関連性があることが示されました。一方で、隣国のフィンランドでは、スウェーデンほど移民・難民を受け入れていないため、こうした凶悪事件はあまり発生していません。

増加するスウェーデンの凶悪事件に対し、２０２１年ドイツのメディア「ビルド」では、[37]「かつて北欧の模範国だったこの国は、2005年以来、本当の悪夢に変わってしまった。EUでは人口100万人当たり平均8人が致死的暴力により死亡しているが、スウェーデンで人口100万人当たり12人となっている。また、銃撃事件ではさらに差は大きく人口当たり約3倍にもなる。スウェーデンがドイツよりもはるかに危険な状況にあるのは明らかである」と述べ、『スウェーデンはヨーロッパで最も危険な国』と報じています。

2023年4月の日刊ニュース「ザ・ローカル」によれば、[38] 2018年以来、12人の無関係の人々がギャングの銃撃抗争の巻き添えとなり亡くなっています。2020年にはストックホルムの南部で、レストランに入ろうとしていた12歳の少女が、銃撃事件に巻き込まれ死亡する事件も起きました。さらに、2021年には公園で遊んでいた幼稚園児と小学生の子どもが、銃撃に巻き込まれ負傷する事件までありました。[39]

SVTのインタビューで、[40] この現場で銃撃を目撃したロッタさんは、「この地域には子ども連れの家族がたくさんいます。しかし、今は子どもを1人で外に出す勇気はありません。銃撃されたのは私の娘だった可能性も十分にありました」と語り、母と共に目撃した娘のリネアさんも「恐怖」を感じたと語っています。

これまでは街の中心地から離れた郊外で起きてきた銃撃事件でした。しかし、近年では市内の中心部でも起きるようになり、一般市民や幼い子どもにまで危険が及ぶ状況となっています。

4 多発する爆弾事件と組織犯罪

２０２１年9月28日、ヨーテボリ市のアンネダール地区の集合住宅で、１４０世帯数百人の住人が緊急避難を余儀なくされる爆弾事件が発生しました。この爆発は早朝に起きたため、住人たちは眠っているなか、突然の爆音で目覚めさせられました。建物には数階にわたり火が広がり、街には濃い煙が立ち込め、混乱の中で、数人の住民がバルコニーから飛び降りるという極めて緊急の状況でした。数分後、救助隊と警察が現場に到着し、50人以上の隊員が消火活動を展開します。緊迫した数時間の後、昼過ぎにようやく火は消し止められました。

ヨーテボリ新聞によると、[41]この事故で23人が病院に運ばれ、４人が重体で集中治療を受けました。なかには10歳の少女もおり、[42]重傷を負った1人の女性は、その2週間後に亡くなりました。[43]実際に、私も事件当日に、この集合住宅付近を通りましたが、窓から黒煙が立ち上がり、周囲は焼け焦げる匂いが充満するひどい状況でした。

当初、この事件の背後にはガス漏れ事故や警察官を標的としたギャング犯罪の可能性が疑われていましたが、警察の調査は別の方向へと進みました。ヨーテボリ新聞によると、警察は数日後に、この集合住宅の住人であり、立ち退きを迫られていた55歳のマーク・ロレンツォンを重要容疑者として特定したのでした。

しかし、警察が彼のアパートを家宅捜索した際、ロレンツォンはすでに行方をくらませていました。さらに、警察の家宅捜索の直後、今度は近くの病院の爆破予告が届きます。周囲は閉鎖され、近くに幼稚園もあるため、危惧した親たちが駆けつけ、子どもたちが1時間ほど避難する事態となったのでした。

警察は数日間にわたり容疑者を捜索しましたが発見できず、10月5日には国際指名手配となりました。そして、事件から8日後の10月6日、容疑者の遺体が近くを流れるイェータ川で発見されたのでした。

スウェーデン公共テレビによれば[44]、警察は、遺体が水中に最低1日、最長で2週間はあったといいます。一方、警察の指揮官アンダーシュ・ボリイェソン氏は「彼が見つかって安堵している」と語っています。そして、事件の背後にある原因や、ほかの関与者がいるかどうかの捜査は継続中とするものの、主要容疑者に関する捜査は終了するとしました。しかしながら、警察からその後の捜査状況は報じられていません。

ヨーテボリ市アパート爆弾爆発事件当日の様子

こうした結末に、ヨーテボリ新

聞は[45]、「火事で負傷した人や住人、容疑者の家族など多くの人々の疑問や不安が解消されないままである」と記しています。

幸いこの事件では、子どもたちへの被害は大きくありませんでした。しかし、過去にはヨーテボリ市で発生した爆発事件において、罪のない子どもたちが犠牲となってしまった事例もあります。

2015年6月、同市のトッシュランダ地区のロータリーで車が爆発し、車内の4人全員が死亡しました。車内には4歳の女の子もいてその爆発で亡くなってしまいました。SVTによれば[46]、車に乗っていた33歳の男はギャングの主要メンバーであり、近年、同市で起きるギャング抗争に関係していたと報じています。

翌年2016年8月には、イギリスからヨーテボリの親戚を訪れていた8歳のユスフ君が、別の爆発事件で犠牲となる事件も起きました。事件の早朝、アパートの3階の窓に手榴弾が投げ込まれ、寝ていたユスフ君の部屋で爆発。ユスフ君は病院に向かう途中、母親の腕の中で息を引き取りました。部屋には9歳の姉と、5歳の弟も寝ていましたが幸い無事でした。BBCニュースは[47]、この爆弾事件もギャングの抗争に関連していると報じています。

2023年は、これまでの数年間と比較して、ヨーテボリ市を含むスウェーデン全土で爆弾事件が顕著に増加しています。ヨーテボリ新聞によると[48]、9月時点で市内だけで14件の爆弾事件が発生し、2人の未成年が命を落としており、これは過去最高の件数です。しかし、ヨーテボリ市が際立って爆弾事件の数が多い都市というわけではありません。2023年に公開された警察の報告書によれば[49]、爆弾事件が最も多発した地域はストックホルム県であり、次いでコペンハーゲンに近い南部地域、そして3番目にヨーテボリ市のある西部地域でした。全国では351件に上り、過去6年間で最も多いと報告されています。

爆弾事件の頻発は、社会における不安や緊張を高め、市民の日常生活に深刻な影響を与えています。また、この連続する爆発事件は、単なる犯罪の増加以上のものを示しており、社会全体の安全と安心に対する脅威となっています。さらに、近年のこうした爆弾事件は、大人だけでなく、特に子どもたちの心にも大きな影響を与えています。

公的機関が運営する子ども用の危機情報サイト「リラ・クリスインフォ」によれば[50]、警察は、犯罪組織による事件で負傷することはまれで、心配しなくても良いと述べています。しかし、凶悪な組織犯罪のニュースを聞いて、眠れなくなったり、集中力を失ったりする子どもたちや、ストレスや怒りをほかの人にぶつける子どもも出てきているといいます。実際に銃撃や爆弾事件の現場を目の当たりにした子どもたちの多くは、家族や友人が犯罪に関与することへの不安を抱える者も少なくないと述べています。

最近のギャングによる凶悪犯罪の増加は、社会全体に大きな影響を与えており、特に、子どもたちの心には深い暗雲が立ち込め、日常の安らぎにも大きな影を落とし始めています。

5　未成年を巻き込むギャンググループ

近年、ストックホルム近郊で「フォックストロット」と呼ばれるギャンググループの内部抗争による、暴力事件が頻発しています。このグループは、ウプサラとストックホルムを拠点にし、国内有数の麻薬密輸業者である、通称「クルドの狐」で知られるクルド人背景のラワ・マジドに率いられています。特に、2023年9月には、彼の影響下でのフォックストロット関連の犯罪が多発し、深刻な事態が起きました。[51] この月だけで、ウプサラやストックホルムで多くの銃撃事件が起き、12人が射殺され、さらに、いくつもの爆発事件が発生したのです。これらの事件は国民に大きな衝撃を与えるものになりました。

抗争の始まりは、9月上旬にイスタンブールで起きたカフェでの銃撃事件までさかのぼります。[52] 事件の背後には、グループのリーダーであるマジドと、彼の元右腕といわれる「スノーマン」との対立があったといわれています。その後、スウェーデンで一連の事件が発生し、9日にはウプサラで、マジドの義母が住む隣の住宅が襲撃を受け、12日には25歳のモゴスさんがマジドの親戚と間違えられ、命を奪われました。また、13日にはウプサラでマジドの親戚の家が銃撃され、さらに爆発物も見つかりました。その後も銃撃や爆発事件が連続発生し、9月だけで12人が殺害されます。[53] そのなかには13歳の少年もいました。[54] また、この1年間だけで約20人の無関係の人たちが銃撃に巻き込まれ、7人の命が奪われたのでした。[55]

ギャング事件が多発するウプサラに住む学生ジュリアさんは、「多くの若者が巻き込まれ悲しい」と話し、ハディさんは「安全な街を望みます」と語っています。[56]

こうした混乱を生む、フォックストロットのリーダー、ラワ・マジドは、19歳のときに、強盗と麻薬密輸の罪で有罪判決を受け、数年後には麻薬犯罪で8年の刑を宣告されました。[57] しかし、

2018年に特例的に仮釈放され、海外に逃亡し、1年後には大規模な麻薬帝国を築き上げました。そして、2020年にインターポールから国際指名手配を受けたのでした。その後、マジドはトルコで逮捕され、スウェーデン警察はトルコに引き渡しを要求しましたが、マジドがトルコ国籍を取得していたため、引き渡しは実現されませんでした。今もマジドはスウェーデンに引き渡されていません。

近年、マジド率いるフォックストロットの事件が急増したのに伴い、ウプサラでは、ギャングに勧誘される危険のある15歳未満の子どもの数が増加しています。SVTによれば2021年には27人だったこの数が、2022年に94人に増加しました。[58] さらに、スウェーデンラジオSRによれば、[59] フォックストロットは麻薬市場を図るため対立ギャングを襲う実行役として、10代の若者を利用していると報じています。

これらの子どもたちは対立ギャングに関連する人物であれば、「誰でも撃て」との命令も受けているといいます。スウェーデン国防大学の上級アナリスト、ヘンリック・ヘグストロム氏は、[60] スウェーデンで子どもや若者が犯罪組織に勧誘される方法は、少年兵が武力紛争に巻き込まれる方法と類似しており、ほかの西側諸国では見られない現象だと指摘しています。

こうした若者たちのギャングへの関与は、スウェーデンのギャングの全体的な状況にも反映され、国内のギャング人口も増加しています。現在、スウェーデンには約3万人のギャングが存在していますが、[61] この人数は、イタリアのマフィアの数（2万5000人）や、[62] 2022年の日本での暴力団構成員等の数（約2万2400人）を上回っています。[63] 人口比較にすれば、スウェーデンのギャングは、イタリアの約6・8倍、日本の約16倍も多い状況に膨れ上がっています。さらに、スウェーデン警察によれば、[64]ギャングにかかわる18歳未満の子どもは、2022年で約1200人、15歳未満では170人おり、将来的に増加の可能性があると報告しています。

しかし、ウプサラ市の青少年センターはこの暗い状況のなかにも、一筋の希望の光を見いだしています。センターの職員は、ウプサラで起きた一連の事件が子どもたちに警鐘を鳴らしており、犯罪からの脱却を望む声が増えていると述べています。[65]ただ、恐れや不安があり、ギャングから抜け出すことが難しい子どもたちも多いといいます。[66]

こうした子どもたちを救うため、青少年センターは毎月、警察、学校、社会福祉事務所などと連携し、犯罪から抜け出したい子どもたちを包括的にサポートし、犯罪やドラッグへのリスクがある青少年を早期に発見し、適切な支援を提供しています。そのセンターの所長、ヒルデ・ヴィベリ氏は、「ギャングから抜け出したい全ての若者をサポートします」と強い決意を語り、若者たちの明るい未来のための奮闘を続けています。

6 見て見ぬふりをする「沈黙の文化」

ヨーテボリ市内からトラムで30分ほど行った終点に、美しい森や湖に近いアンゲレンド・センター駅があります。夏になると、森でバーベキューをしに、また湖に遊びにくる人たちを多く見かけます。しかし、この自然豊かな地域の駅周辺を見ると、アフリカ系や中東系の住民の姿が多く目立ちます。実際、この地域では外国人背景を持つ人の割合がとても高く、市の平均が約39％に対し、ここでは約79％に達しています。[67] また、平均給与も低く、失業率は11％と高い水準にあることが問題となっています。

２０１５年以降、警察はこれらの地域を、「社会的問題を抱える地域」として特定しています。ヨーテボリ市内にはこうした地域が９か所存在し、全国には61か所あります。[68] これらの地域が占める割合は、スウェーデンの地理的な領域のわずか０・０２％、人口は約55万人で、全国の人口の約５％でしかありません。[69] それにもかかわらず、銃撃事件などの凶悪事件の多くは、これらの地域で発生しています。犯罪防止委員会（Brå）は、こうした社会的に問題のある地域で、凶悪事件が発生する頻度は８倍以上も高いと指摘しています。

ストックホルムの北西にあるシャーナ・エンガ地区も、「社会的問題を抱える地域」の１つです。ここでは４人に３人の住民が外国人背景であり、特にソマリア出身の住民が36・８％と最も多く、[70] 麻薬密売の問題も起きています。[71] この地域の問題は特に若者に大きな影響を与えており、SVTは特集番組を組み、[72] 路上でドラッグを売る20代のソマリア出身の若者に焦点を当て報道しています。

インタビューの中で、若者は仕事を探し回ったものの、ソマリア出身であることが雇用の障壁となり、「生きるため」にドラッグを販売していると述べています。また、「全ては失業が問題で、それが不安を生む原因だ」とも語っています。実際、この地区の失業率は16・１％にまで達しています。[73] さらに、この若者は、「隣の人がソマリア語を話しているのに、どうやってスウェーデン語を学ぶの？　どうやって社会に参加するの？　スウェーデンに住んでいるけれど、実際にはそうではない」とも語っています。

地元警察によると、こうしたシャーナ・エンガ地区は、ほかの社会との分断が存在しています。さらに、地方政治家のムルサル・イサ氏（ソマリア出身）によると、[74]政治家が急進的な対策を取ると、ときに人種差別者と非難されることがあり、問題を複雑にしているといいます。一方で、この非難は主に地域の住民から来ているとも述べています。また、イサ氏は過去に脅迫を受けた経験もあり、これが犯罪組織からのものと示唆しています。さらに、彼は危険があるためかはっきりと話せないようですが、この地区では犯罪組織の影響力が強く、司法が適切に機能していないことをほのめかしつつ語っています。

犯罪組織により影響を受けているのは、「社会的問題を抱える地域」だけではありません。ヨハンナ・ベックストローム氏の著書『ファミリー』では、[75]ヨーテボリのアンゲレンド地区全域を支配するレバノン系ギャング「アリ・カーン」一族の実態について解説しています。この本は、大きな反響を呼び、２０２０年にスウェーデンの「ストーラ・ジャーナリスト賞」を受賞し、10万部を売り上げるベストセラーにもなりました。[76]本には、ヨーテボリ市の職員が、アリ・カーン一族への恐怖から、銃撃事件や麻薬取引を目撃しても見て見ぬふりをする、「沈黙の文化」が存在していることも示されています。

また、組織犯罪の専門家であるアンナ・ヘディン氏は、[77]別の問題として、市の職員が犯罪を報告しても、上司が上層部や政治家に報告する際に、良い情報だけを選別し、悪いことは報告しないため、上層部はギャング犯罪の正確な実態を把握できていないと指摘しています。そして、この「沈黙の文化」を認識することが、ギャングに立ち向かうはじめのステップになると述べています。

さらに、ギャング問題に取り組む専門家、マリア・ヴァリン氏は、最近の急激な社会変化に注目し、既存のシステムがこれに適応しきれていない実情も指摘しています。そして、彼女は、状況を正確に評価し、単なる短期的な対策ではなく、失業や社会的格差を解消する長期的な取り組みが不可欠であると強調しています。

今、拡大するギャング問題は一部の地域に住む人だけでなく、社会にいる多くの人々の生活にも影響を与え始め、その不安の影を広げつつあります。

7　国を変えるギャング犯罪と移民問題

スウェーデンは長らく移民に対して寛大な国として知られてきました。しかし、最近、その動向に変化の兆しが見えています。２０２２年の総選挙後、ウルフ・クリスターソン氏の率いる穏健党を中心とする連立政権が、社民党主導の前政権に取って代わりました。しかし、穏健党は第3党であり、反移民の第2党であるスウェーデン民主党と連立政権を樹立することになったのでした。[78] そのため、現政権はスウェーデン民主党の影響が色濃い政府となっています。

スウェーデン民主党は右派の政治思想を持ち、伝統的な価値観や国家主義、反移民政策を主張する政党です。新聞エクスプレッセンの報道によれば、[79] 党の創設者の中にはナチスやファシスト運動との関連があったとされる人々がいました。しかし、現在の党首ジミー・オーケソン氏は人種差別を容認しない方針を掲げています。[80] 一方で、彼らは「反移民政党」としての立場を明確にしており、クリスターソン政権下での移民受け入れ規制の厳格化や、国籍取得の際にスウェーデン語要件の追加など、厳しい移民政策を推進しています。[81] ２０２３年には、永住権取得にスウェーデン語と社会知識テストが必須とする提案も出されています。[82]

スウェーデン民主党が台頭した背景には、ギャング犯罪の急増と、その要因となる移民問題が大きく影響しています。ジャーナリストのアンナカイサ・スニ氏によると、[83] 歴史的にスウェーデンは多くの移民を受け入れてきました。しかし、移民向け住宅の不足により、新たな移民が、親戚や同郷の人々の住む地域に集中することとなった結果、多くの企業や行政機関、スウェーデン出身の住民がこうした地域から徐々に離れました。さらに、学校への投資も不十分であり、スウェーデン語や文化への理解も要求されなかったため、移民社会と一般社会の間に大きな隔たりが生じたのでした。

こうした状況下、失業や不満からギャングに入る者が増え、凶悪犯罪が増加しました。[84] ただ、この移民問題は人々の間で認識されていたものの、多くの人々は人種差別主義者とのレッテルを貼られるのを避けるため、公然とはこの問題について話すのを避けていたとスニ氏は語ります。実際、私が会話する外国人の間ではこの話題がよく出ますが、スウェーデン人と話した際には、この話題を取り上げる人は少ないように感じます。

ですが、2017年以降に銃撃事件が急増し、2016年の10倍以上にまで増加してしまいます。[85]こうした状況を受け、国民は移民政策に対する懸念を強め始めたのでした。その後、2021年スウェーデン犯罪防止委員会（Brå）[86]が、外国出身者による凶悪犯罪は、スウェーデン人の3倍以上であると発表したことで、反移民政策を掲げるスウェーデン民主党の台頭を生み、連立政権の樹立に至ったのでした。

ちなみに、スウェーデン政府によると、[87]国内に約200のギャングが存在しています。また、ギャング取引額は年間約1000億～1500億クローナ（約1兆4500億～2兆1750億円）にも及んでいます。想像以上に大きな額ではないでしょうか？

さらに近年、スウェーデンギャングは国内に留まらず、海外にも勢力を拡大しています。SVTによれば、[88]2018年以降、スウェーデンのギャングがスペインに勢力を伸ばし始め、現在は1000人近くいます。スペインの警察幹部によれば、スウェーデンギャングの数は少ないものの、イギリスやオランダのギャングと同程度の力を持ち、抗争となれば簡単に暴力や誘拐、殺人をすると述べています。

スウェーデンギャングの拡大はスペインだけには留まりません。

2023年、ノルウェー公共テレビNRKによると、[89]ノルウェー司法警察は、「フォックストロット」が国内に定着し始めていると発表しました。フィンランドのイルタレティ紙でも、[90]スウェーデンのギャング犯罪が、北部のフィンランド国境に向かって拡大し始めたと報じています。スウェーデンギャングに対して、フィンランドでは脅威を感じており、未成年者がスウェーデンギャングを模倣し、国内に新たなギャングをつくることへの懸念も出ています。[91]実際に、妻の話では、フィンランド人の多くが、スウェーデンギャングの拡大に不安を抱いているといいます。

近年、拡大し激化するギャング犯罪に対抗するため、2022年10月に樹立したクリスターソン新政権は、最も重要な課題の1つとして、「ギャング犯罪との闘いに勝利し、国の安全を回復し、国家が主導権を取り戻す」という政府声明を出しました。[92]そして、「社会の安全は、現代における自由への最も重要な課題」とし、2023年の予算案で司法機関へ約50億クローナ（約725億円）の増額もしたのでした。[93]

さらに、2023年9月、激化するギャング抗争を背景に、首相が国民に向けて、[94]「状況がどれほど深刻であるかをいくら強調しても足りません。このようなことはスウェーデンでかつて見たことがありません。また、ヨーロッパのどの国でもこうした状況は見当たりません」と演説し、この状況をつくり出したのは「政治家（社民党）の無知と、無責任な移民政策と統合の失敗」であり、今後「移民政策の見直し」をすると語ったのでした。加えて、犯罪組織に対して、軍隊の支援を検討中であると発表も行いました。さらに、ギャング拡大を防ぐため、ニューヨーク市を参考とした監視活動や防犯活動の強化、スウェーデン語を学べる教育づくりなど、ギャング撲滅へ向けた取り組みを開始し、北欧諸国の首相と連絡も深めているとも述べています。[95]

ここまで記したギャング問題は、今まで平和イメージの強かったスウェーデンからは信じがたい話ではないでしょうか？

それもそのはずで、ギャング犯罪は、この数年で急増し、10年前とは大きく状況が変わっているのです。特に2023年は過激さが増し、最も深刻な状況となっています。実際に私の周りでも拳銃事件を目撃した人もおり、私自身も2度ほど爆弾事件後の現場を見たことがあります。ギャング犯罪は今やニュースの中だけの話ではなくなりつつあります。

さらに、現在、激化するギャング犯罪は、スウェーデンだけでなく、近隣の北欧諸国の人々の生活や幸福にまで影響を与え始めています。こうした状況下、これまで移民や難民に寛大であったスウェーデンの移民政策は、今後、大きな転換を迎えると考えられます。そのため、この章では、現在のスウェーデンで最も大きな問題となっているギャング犯罪と、その背景にある移民問題に焦点を当て記しました。

そして、スウェーデン政府は今、安全と自由を脅かす者から国民を守るための戦いを開始し、その新しい局面を迎えようとしています。

6章

国家安全保障と知られざる戦史

1 第2次世界大戦の敗戦国・フィンランド

ヘルシンキ市の中央駅近くに、流線型の美しいヘルシンキ現代美術館があります。その正面には、馬にまたがるマンネルヘイム元帥の銅像が誇らしげに立っています。マンネルヘイムはフィンランドの建国後、軍人政治家として4つの戦争を率いた国民的英雄であり、フィンランドの歴史において欠かせない人物です。

フィンランドの歴史を簡単に振り返ると、長らくスウェーデン王国の一部でしたが、[1]１８０８

年の第2次ロシア・スウェーデン戦争の結果、1809年にロシア帝国に割譲されました。その後、ロシア帝国がロシア革命で崩壊したため、1917年にフィンランドは独立を実現し、フィンランド共和国が成立しました。ちなみに、ほかの北欧諸国が王国であるのに対し、フィンランドが共和制であるのは、こうした異なる歴史的経緯によるものです。

ロシアからの独立後もフィンランドは4つの戦争を経験しました。1918年の「フィンランド内戦」。そして、1939年から1940年の「冬戦争」があります。冬戦争は第2次世界大戦の勃発後、ソ連がフィンランドに領土の割譲を要求し、その要求を拒否したため、ソ連がフィンランドに侵攻してきた戦争です。これに対してフィンランド人は勇ましく戦いましたが、敗北し講和条約を締結しました。これにより領土の10分の1をソ連に割譲することになります。しかし、独立は維持されたのでした。

さらに、第2次世界大戦中の1941年から1944年にかけて「継続戦争」が続きました。継続戦争は冬戦争で失った領土を奪還するため、ソ連に対して侵攻します。しかし、この戦争も失敗に終わります。この結果、休戦条約を結び多額の賠償金を支払いましたが、独立は保たれました。最後に、1944年から1945年のドイツとの「ラップランド戦争」があります。

これらの戦争を率いたのがマンネルヘイムであり、ソ連からの独立を守った英雄として、今もフィンランドで尊敬されています。また、冬戦争と継続戦争も、ソ連からの独立を守った英雄的な戦争と見なされています。[2]

しかし、一般的にはあまり知られていない事実もあります。それは、第2次世界大戦中、フィンランドが日本と同じく枢軸国側としてソ連と戦っていたことです。実際、1941年には日独伊防共協定としても知られる防共協定に参加しました。[3] そして、継続戦争の中で、フィンランドはドイツと共にソ連へ侵攻するバルバロッサ作戦に加わりました。[4] しかし、フィンランド政府はこの継続戦争をドイツとの「共同作戦」ではなく、「別の戦争」であると主張しました。[5]

一方で、石野裕子氏の著書『物語 フィンランドの歴史』によれば、[6] フィンランド軍がドイツ軍へ協力していたのは明白であり、イギリスやアメリカはフィンランドが日独伊などの枢軸国であると見なし、実際に1941年12月にイギリスから宣戦布告されました。さらに、1942年に、ヒットラーがマンネルヘイム将軍の誕生日にフィンランドを訪れたため、ドイツとフィンランドの関係が国際的に再認識されました。このように、フィンランド政府は「冬戦争」と「継続戦争」を、第2次世界大戦とは異なる戦争と主張していた一方で、連合国からは枢軸国の一員と見なされていたのでした。

妻の話によると、学生時代の歴史の授業で、第2次世界大戦は世界史の中で教わったそうです。しかし、「冬戦争」や「継続戦争」はフィンランド史の一環として、ソ連から独立を守った戦争として学んだといいます。そのため、多くのフィンランド人は、「冬戦争」「継続戦争」が第2次世界大戦とは別の戦争だと認識し、ソ連からの独立を守った英雄的な戦争と考える人が多いとのことです。

ちなみに、フィンランド人の間でよく知られる戦争小説として『無名戦士』があります。[7] この小説はフィンランドの作家、ヴァイノ・リンナ氏によって書かれ、1954年に出版されまし

ヘルシンキ現代美術館前のマンネルヘイム元帥の銅像

た。この作品は、これまで英雄視してきた継続戦争に対して、一般兵士の視点を通し、戦争の悲劇や非情さに焦点を当てて描かれています。

　フィンランドのテレビ局MTVによると、[8] リンナ氏が記していた原稿には、さらに反戦的な要素が含まれており、戦争指導者を批判するものだったと報じています。しかし、検閲がかかり、反戦的な内容が削除されてしまいました。フィンランドでは、戦後の1950年代、戦争批判がタブーとされ、検閲や自主規制が行われた時期でもありました。

　2000年頃になると、戦争に対する批判やタブーが解け、原稿に近い無修正版の『無名戦士』が再び出版されたのでした。その後、この小説は3度も映画化され、現在では独立記念日に必ずテレビで放送されています。また、学校の授業でも取り上げられるため、フィンランドでは誰もが知る小説となっています。しかしながら、戦後の長い間、戦争批判がタブーとされていたため、今でも多くのフィンランド人は、冬戦争と継続戦争が第2次世界大戦とは違う、ソ連から独立を守った英雄戦争であると捉えています。

これまで、フィンランドの過去の戦争について見てきましたが、すでにご存知のように、現在、フィンランドは世界幸福度ランキングでトップの国であり、早くから男女平等が進んだ国です。ただ、男女平等が進んだ背景を考えると、1章でも触れたように、ソ連との戦火中、多くの男性が戦地へと赴き、その結果、人手不足となり、多くの女性が働きに出るようになったことに起因しています。また、ソ連への巨額な賠償金の支払いのため、年齢や性別に関係なく、国民全員が協力して働く必要があり、男女格差が是正されたのでした。その結果、女性の社会進出が進み、それに伴い育児政策も整えられました。[9] 同時に、これらの戦争によりソ連に占領されず独立が維持できたため、ほかの東欧諸国よりも早く民主主義国ともなりました。歴史を振り返ると、皮肉にも戦争がきっかけで今の福祉国家が生まれたともいえるのです。

一見すると、幸福と戦争の関連は薄いように感じるかもしれません。しかし、現在、当たり前のようにある私たちの幸せも、平和社会の基盤の上に成り立っています。そして、戦争は人々の築き上げた生活を一瞬で破壊する力を持っています。

ロシアによる侵攻を受けて、ウクライナの人々の幸せと平和は突如失われました。フィンランドは2023年にNATOに加盟し、翌年にスウェーデンも加盟し、近年、国際情勢は緊張状態にあります。そして、もしNATOとの戦争が勃発したのならば、北欧諸国にある今の幸せも崩れさり、多くの人々に悲劇をもたらす可能性もあるのです。[10]

2 「平和の島」の非武装中立は守れるか

スウェーデンとフィンランドの間に位置するオーランド諸島は、約6700の島々から成るフィンランド領です。ヘルシンキからフェリーで約11時間かけて、訪れることができます。多くの島々は橋で結ばれており、自転車で移動しながら美しい風景を楽しむことができます。訪問者はオーランドに到着すると、文字や言葉がスウェーデン語であることにすぐに気づきます。また、街の旗もフィンランドやスウェーデンのものではなく、青・赤・黄色の旗が掲げられていることにも気づくはずです。実は、オーランドはフィンランド領ながら、公用語はスウェーデン語で、独自の旗を持ち、自治権が与えられた地域となっています。

オーランド諸島はその歴史が非常に複雑で、興味深いものがあります。オーランドはフィンランドの一地方としてスウェーデン王国に長く属していました。そのため、住民のほとんどがスウェーデン語を母国語とし、スウェーデンへの帰属意識を持っていました。しかし、1809年の第2次ロシア・スウェーデン戦争の結果、スウェーデンは敗北。フィンランドと共にオーランド諸島もロシアへ割譲されました。

オーランドは地政学的に重要な拠点とされており、1856年のクリミア戦争の講和条約で要塞の建設が禁止されました。しかし、第1次世界大戦中にロシアは要塞を建設してしまいます。[11]その後、1917年のロシア革命でフィンランドがロシアから独立した際、オーランドはスウェーデン政府に帰属を求める請願書を提出したのでした。しかし、フィンランドはこれを阻止するため、オーランドに広範な自治権を付与する自治法を成立します。しかし、住民はこれを受け入れず、島の帰属を決定する島民投票が実施できるよう、スウェーデン政府に依頼しました。これによりフィンランドとスウェーデン間で緊張が高まる結果となったのです。

この紛争を解決したのが、旧五千円札の肖像画にもなった、日本の新渡戸稲造でした。[12] 当時、国際連盟の事務次長であった新渡戸は、オーランドが非武装中立のもとフィンランドに帰属するとともに、オーランドの自治権を保証し、公用語としてスウェーデン語を採用することで、解決に導きました。[13] 今も、オーランドは国際条約により非武装中立とされており、[14] 軍隊も兵役制度もありません。[15]

こうした非武装中立のオーランドと対照的に、フィンランド本土には異なる軍事状況が存在します。本土には兵役制があり、18〜30歳の男性が徴兵の対象です。兵役期間は165日間、255日間、または347日間。期間は個人の状況や希望、能力により異なります。30歳以降は、義務ではありませんが、60歳まで予備役として再訓練が受けられます。女性は志願制であり、18〜29歳の間に自主的に参加できます。またもし懲役を拒否した場合は、保護観察処分、もしくは懲役となります。[16]

しかし、防衛情報諮問委員会の調査によれば、[17] 74%の人々が国の防衛のため、現在の兵役制度が不可欠だと感じています。多くの若者は高校を卒業し大学へ入る前に兵役に就いており、[18] 兵役に出る若者は毎年約2万人にものぼります。[19]

そのため、週末にヘルシンキ市の中央駅に行くと、休暇を終えて軍に戻る若い兵士たちの姿をしばしば見かけます。また、フィンランドには18の軍事基地が点在しており、[20]それらの間を列車で軍事物資や戦車が移動する姿も珍しくありません。私自身、北部の基地へ50両以上の戦車が輸送される光景を目撃したことがあります。こうした風景から、フィンランドは幸福度の高い国である一方、ロシアと隣接することの緊張も感じます。

ストックホルム研究所の報告によると、[21]2022年のウクライナ侵攻以降、ロシアの増大する脅威への懸念から、欧州諸国の軍事支出が冷戦レベルにまで急増しました。特にフィンランドの軍事予算は、2023年には前年比の36％増と大幅に増額されました。[22]その多額な支出の理由には、84億ユーロ相当（約1兆3690億円）に及ぶ64機のロッキード・マーティン製の戦闘機F-35Aの購入があります。そして、このF-35Aは、最初にラップランドに配備される予定です。[23]さらに、国境警備隊にも年間4500万ユーロ（約73億3500万円）の追加資金を出し、国境警備隊の増員も行っています。[24]

ニューヨークタイムズによれば、[25]フィンランドでは侵攻以来、訓練の頻度が増え、2023年にヘルシンキ、サンタハミナ軍事基地、エスポー市、ハメーンリンナ市での訓練が行われています。訓練に参加した、21歳のワラスヴァーラさんは、ウクライナ侵攻で戦争の可能性が高まり、「戦争の現実が身近に迫っている」と語っています。一方、ロシアもフィンランドのNATO加盟を受けて、2023年8月にショイグ国防相が、西部国境の軍備を増強すると発表しました。[26]ウクライナ侵攻後、フィンランドとロシア間での緊張が高まり、フィンランドでは軍事強化や訓練が大きく増加しています。

ＮＡＴＯ加盟後に緊張の高まるなか、フィンランドの一部の政治家からは、オーランドの非武装中立の見直しをする提案も出されています。[27] アメリカのシンクタンク、ウィルソン・センターによれば、[28] ロシアに近く地政学的に重要なオーランドを活用できればＮＡＴＯの優位性が高くなり、反対に放置すればロシアに利用され、ＮＡＴＯの弱点になる可能性があります。そのため、今後、オーランドの非武装中立に関する議論が進むと予測しています。

しかし、フィンランド外務省は現在も、「オーランドの国際法に基づく地位に関する条約を含む、全ての国際的な取り決めを堅守しています。フィンランドのＮＡＴＯへの加盟は、国際的な取り決めに基づくオーランドの地位に影響を与えません。非武装化は尊重されており、フィンランドは必要な措置でオーランドの中立を守る準備があります」と述べています。[29]

長年にわたり非武装中立を維持してきたオーランド諸島は「平和の島」とも称され、多くのオーランド島住民の誇りとなっています。[30] 島にある平和研究所のシーア所長は、今後も非武装中立が続くことを望んでおり、「どんなに厳しい時代に向かっていても、平和的解決を諦めないことが大切です」と語っています。新渡戸稲造の平和と協調の理念は、オーランド諸島の非武装中立の精神に反映され、時を経た今も平和の礎として、島の人々の生活を守り続けています。

3 ロシアという強大な影

スウェーデン北部のヘルネサンド市近くにあるヘムソ島には、冷戦期最大の秘密基地であるヘムソ要塞があります。[31] この要塞は、スウェーデンがソ連からの脅威に対抗するために建設したもので、現在は一般公開されています。山の頂上にある巨大な大砲は、かつての緊張感を今に伝え、スウェーデンが冷戦期にソ連からどれほど強い脅威を受けていたかを物語っています。そして最近再び、そのロシアからの脅威が強まっています。2022年、ロシアはウクライナ侵攻を開始しました。それを受けて、スウェーデンはNATO加盟を申請し、2024年に加盟が実現しました。現在、NATO加盟国として、軍備増強を図っています。

しかし、このロシアとの複雑な関係は、現代に始まったことではなく、長いスウェーデンの歴史のなか、ロシアは同国に大きな影響を与えてきています。

スウェーデンの近代史は[32]1523年のカルマル同盟解体から始まります。このときからスウェーデンは北欧での主導権を確立し、数多くの戦争を通じて北ヨーロッパで影響力を拡大しました。[33] 特に、1630年の三十年戦争では、スウェーデンはヨーロッパで重要な勢力になり、デンマークとの戦いで広大な領土を獲得し、北ヨーロッパにおける「大帝国」の地位を築きました。

しかし、1700年から1721年の大北方戦争でデンマーク、ポーランド、ロシアなどと戦った結果、バルト海の一部を失いました。さらに、19世紀に、ナポレオン戦争の一部の戦役で敗北し、1808年から1809年の第2次ロシア・スウェーデン戦争ではフィンランドを失い、スウェーデンは「大国」から「小国」へと転落したのでした。一方、勝利したロシアは大国として台頭することになりました。このように、歴史を振り返ると、スウェーデンとロシアは長年にわたり密接な関係を持っていたことがわかります。

ロシアに敗れたスウェーデンは1834年に「中立」を宣言しました。立教大学の法学部助教、清水謙氏によれば[34]、「小国」となった自分たちが国際情勢にどうかかわるべきか考えた結果、もうヨーロッパの戦争には関与しないという中立の外交政策へと変わったといいます。そして、中立政策に転換したスウェーデンは、20世紀に入ってからも、2つの世界大戦で中立を維持し、戦火を免れたのでした。

戦後の冷戦期においても、スウェーデンは中立を保っていましたが、武田龍夫氏の著書『物語北欧の歴史』によると、スウェーデンは中立ではあるものの、他国からの攻撃を防ぐため、十分な軍事力を持つ「武装中立政策」を取っていました。そのため、国民皆兵制がしかれ、毎年GNPの3~4%が国防予算として当てられていました。さらに、戦闘機や対戦車砲などの武器開発を進め、防衛産業も発展しました[35]。時事通信によると[36]、スウェーデンは、現在も武器輸出大国として知られ、サイバー防衛分野では欧州有数の高い技術と能力を誇っています。

21世紀に入り、歴史的にもスウェーデンに大きな影響を与えたロシアが、2014年にクリミア半島を併合し、2022年にはウクライナ侵攻を行い、近隣地域での軍事活動が活発化し始めました。さらに、軍事評論家の小泉悠氏の著書『現代ロシアの軍事戦略』によれば[37]、ロシアは

スウェーデン北部ヘルネサンド市の冷戦最大の極秘の防衛施設の1つヘムソ要塞

大規模演習「ザーパド２０１３」の中で、スウェーデンを核攻撃の標的とする訓練も実施しました。こうしたロシアの軍事活動の活発化を受け、スウェーデン政府は２００年近く続く中立政策を転換し、２０２２年5月にＮＡＴＯ加盟申請に踏み切ったのでした。[38]

その後、スウェーデン政府は軍備増強を進めます。２０２３年の政府の発表によれば、[39]２０２３年から２０２４年の1年間で軍事予算を28％（２７０億クローナ、約３９１５億円）増加する予定であり、２０２４年の軍事予算も２０２０年と比べて2倍、ＮＡＴＯの目標であるＧＤＰの2％に達する見通しです。さらに、毎年軍事予算を増加させ、防衛研究にも追加資金を出すと述べています。

また、政府は、２０１０年から休止していた徴兵制を２０１８年に復活させました。[40]再開した徴兵制では、18歳になると全ての男女が徴兵の適性検査を受け、その中から一部の若者が選出されて兵役に就きます。[41]どうしても武器を持ちたくなければ、申請して武器を所持しない防衛任務に就くことも可能です。[42]

しかし、2019年の日刊ニュース「ザ・ローカル」によると、[43]260人の若者が負傷したり、武器を持つことを望まず訓練を中断しました。徴兵制度が再開された後、24人の若者が罰金を科されたり、有罪判決を受けたりするケースが出ています。

実際に、有罪判決を受けた若者のアンドレさんは、「決めるのは自分だと思う。やりたくないのなら、強制されるべきではない」と公共ラジオSRで語っています。[44]現在のロシアの動向を受け、スウェーデンは軍事を強化していますが、一方で、徴兵制の再開により兵役を望まない若者も、任務を担う必要が生じているのです。

こうして歴史を紐解くと、スウェーデンは大帝国から小国へと転落した過去もあり、ロシアから受けた影響は大きいことがわかります。そして、時代が変わった現代でも、ロシアの動向はスウェーデンに脅威を与えており、将来の国の運命を大きく左右する可能性も持ち合わせています。さらに、このロシアの動きは、スウェーデンという国家に大きな変化をもたらすだけでなく、国民1人ひとりにも大きな影響を及ぼしています。そして、これまで平和のなかで暮らしていた若者に、突如、兵士としての責任を課し、その人生や幸せにも影響を与え始めています。

4 身近に潜むロシアスパイ

ヨーテボリ市には、スウェーデンを代表する自動車メーカー、ボルボの本社があります。ボルボは約10万人の従業員を抱え、2022年の売上高は約4730億クローナ（約6兆8590億円）と、スウェーデンで最大の企業です。[45] そのボルボで働いていた47歳の男性社員が、ロシアのスパイ容疑で逮捕される事件が2021年2月に発生しました。[46]

この男性はヨーテボリ市のボルボ・カーズとストックホルムの自動車企業スカニアでコンサルタントとして働いていましたが、実はロシアの諜報機関（SVR）に所属しており、企業情報をロシア大使館の外交官、エフゲニー・ウメレンコに提供し、スパイ容疑で告発されました。SVTによれば、[47] このスパイ行為は2017年から2019年まで行われていたといいます。

さらに、2021年9月には、スウェーデン史上最大とも呼ばれるスパイ事件が発生しました。[48] 過去にスウェーデンの国家警察「サポ」や、軍諜報機関「KSI」で高官として勤務していた42歳の男と、32歳の弟がロシアのスパイであり、10年以上にも及んでロシア連邦軍参謀本部情報総局（GRU）に情報を流していたことが発覚したのです。[49] アフトンブラデット紙によれば、[50] これにより大量の極秘情報とサポ全員の職員リストがロシアに漏洩しました。そして、逮捕後、兄には終身刑、弟には9年10か月の懲役刑が言い渡されました。

しかし、スパイ事件はこれだけではありません。2023年5月に、スウェーデンにいる5人のロシア外交官が、スパイであることが発覚し国外追放されました。これに対して、ロシアはセントピーターズバーグのスウェーデン領事館を閉鎖し、同数のスウェーデン外交官を追放しました。さらに、ヨーテボリ市のロシア総領事館も閉鎖したのでした。[51]

ＳＶＴによれば、[52]ビルストローム外務大臣は、「ロシアはこれが報復行為であることを明確にしている」と述べています。同様に、ロシア外務省も、スウェーデンとの関係は最悪であり、スウェーデンでは「ロシア嫌悪」キャンペーンが展開されているとプレスリリースで記しています。一方、スウェーデン国家警察「サポ」によると、[53]ロシア外交官のうち３分の１がスパイであると報告されています。

さらに、２０２３年のＳＶＴの独自調査によると、[54]スウェーデンでは21人のスパイが活動しており、その中には現在活動中の７人が含まれていると報じています。特に注目されているのは以下の３人です。

1、アンドレイ・エベルトヴィッチ・グロフ　２０２０年からストックホルムのロシア大使館でカウンセラーとして勤務。しかし、実際にはロシア連邦保安庁ＦＳＢのスパイとして活動しています。

2、ディミトリ・アブドゥリン　２０１９年からストックホルムのロシア大使館で大使館員として働くも、実はＳＶＲの将校であり、暗号化問題を担当していました。

3、ニコライ・イゴレビッチ・バナトフ　ストックホルムのロシア大使館の職員として働いていましたが、実際にはＧＲＵのスパイです。

また、なかには女性スパイもおり、ストックホルムのロシア大使館の図書館司書がスパイでした。[55]夫は前述したボルボでのスパイ事件にかかわった外交官、エフゲニー・ウメレンコであり、夫婦ともにスパイだったというわけです。

現在、防衛産業の発達するスウェーデンでは、スパイ活動により機密技術がロシアに流出することは、国家安全保障への脅威となっています。[56]しかし、スパイの問題はスウェーデンに留まらず、ＳＶＴによると、[57]ほかの北欧諸国でも、ロシアの外交官のうち3分の1が実際に諜報員であるといわれています。

コペンハーゲン新聞によれば、[58]２０２２年４月にデンマークでは15人のロシア大使館の職員を諜報員として追放しました。その後、２０２３年９月にデンマーク外務省は、[59]在デンマーク・ロシア大使館の外交官を15人から5人まで減らすことをロシアに要求しました。ロシア外務省は、[60]これをロシアへの敵意の表れとして捉えており、今後の対応や見解を示す結論を出す予定であると公式発表しています。また、フィンランドでも、２０２３年６月にロシア外交官９人を国外追放しました。[61]ノルウェーも２０２３年４月に15人のロシア大使館で働く職員をスパイとして追放しています。[62]

２０２３年４月に、北欧４か国の公共放送局が共同制作した北欧でのロシアスパイの実態を描いたドキュメンタリー番組「影の戦争」が放映されました。この番組によれば、[63]ロシアはコペンハーゲン、オスロ、ストックホルムにスパイ基地があります。また、38人の諜報員の名前をあげ、北欧における大規模なスパイ活動をしていると報じています。さらに、ロシアは数十隻の軍用船舶や民間船舶を使い、北欧海域のガスパイプラインや通信ケーブル、風力発電所の情報収集をし、北海で北欧のエネルギーインフラに対して妨害するスパイプログラムがあると述べています。

この主張に対して、ロシアは誤りであり根拠がないと主張しています。しかし、その後、2023年10月に、フィンランドとエストニア間のガスパイプラインと通信ケーブルに損傷が発生しました。[64] フィンランド国家捜査局（KRP）によれば、偶然発生した可能性は低いといいます。フィンランドのオルポ首相は、ロシアの関与について質問されると、「徹底的に調査されるべきである」とのみ答えました。

ウクライナ侵攻が続くなか、北欧でのロシアのスパイ活動が増加し、発覚するごとに国外追放や刑罰が行われています。これに対し、ロシアも北欧の大使館員を追放し、大使館を閉鎖するなどして対抗し、国際関係の緊張は高まっています。

さらに、ボルボなど多くの市民が働く企業にもスパイが潜んでいるため、一部の人々は身近にスパイが存在することへの懸念や疑念も抱き始めています。映画の中だけのスパイ事件が、近年、北欧では現実の日常生活にまで忍び寄ってきています。

5 生き残るために選択された「中立」の真相

スウェーデンの東側にバルト海を挟んでラトビアがあります。旧市街地は中世の雰囲気を色濃く残す美しい地区であり、バロック様式の美しいリガ大聖堂や、中心には中世の商人組合であった黒い頭巾の兄弟団館があります。旧市街地の周りには美しい城壁やスウェーデン門も残っており、17世紀初頭にはラトビアがスウェーデンの支配下であった姿を今も伝えています。

また、最近は、2022年のロシアによるウクライナ侵攻を受け、旧市街地を散策すると街の至るところにウクライナ国旗が掲げられています。ラトビアは第2次世界大戦中、1940年にソ連により占領され、翌年ナチス・ドイツに占領されましたが、ソ連に再び占領されるという、両大国に翻弄された国です。そのため、ラトビアは現在進行中のロシアのウクライナ侵攻に対してとても敏感です。

さらに、それを表すものとして、街には歴史を語る博物館が多く、旧市街地にはナチス占領時期のホロコーストを語るラトビア・ユダヤ博物館や、[65] ソ連占領時期、KGBが反ソ連とみなした人々を実際に拘留していた建物を今も残したKGB博物館もあります。特に目を引くのが、中心地に位置するラトビア占領博物館です。[66] 2004年に開館され、ナチス・ドイツの占領とソ連の占領の両方についての展示をし、占領下の状況と独立までの歴史を訪問者に伝えています。

その占領博物館では、第2次世界大戦中のラトビアとスウェーデンの関係も展示されています。当時スウェーデンは中立国でしたが、ソ連から中立国スウェーデンへ逃れてきたラトビア兵を、スウェーデン警察が拘束し強制収容所に輸送する写真も展示しています。拘束されたラトビア兵は130人、一般市民は2人おり、そのうち23人は、その後、過酷な労働・生活を強いたソ連のグラーグ労働収容所へ輸送されました。

このグラーグ労働収容所では、総計1800万人～2500万人が収容され、1930年から

1953年の期間で、少なくとも150万～170万人が死亡し、多ければ600万人が死亡したといわれています。グラーグ労働収容所にラトビア人を輸送した事実に対し、1994年、スウェーデン政府はラトビア政府に正式に謝罪しました。こうした過去の出来事を振り返ると、スウェーデンの「中立」が一般的な中立の概念とは異なる特質を持っていたことが見えてきます。

一般的には中立国と見なされていたスウェーデンですが、実際には、スイスやオーストリアのような国際法で規定された「中立国」とは異なっていたことは、あまり知られていません。スウェーデンの中立政策は、国際法上で規定されたものではなく、国の外交方針として「中立化」を宣言した姿勢を表すものであったため、国際社会からの承認も必要ありませんでした。[67]

この独自の中立政策について、元駐スウェーデン特命全権大使の森元誠二氏は、[68]スウェーデンは「中立政策」を巧みに駆使して長い間平和を維持してきたと指摘しています。彼によれば、この政策は「外交政策として打ち立てられた『中立政策』」であったといいます。歴史的に、1700年の「北方大戦争」でロシアに敗北した後、スウェーデンがバルト海の権益を失い、フィンランドもロシアの影響下に入り、かつての大国としての地位を喪失しました。こうした歴史的背景から生まれたスウェーデンの中立政策は「大国としての誇りを捨て、疲弊した自国の経済運営に集中するための方策として生み出されたもの」であったと、森元氏は述べています。

さらに、元外交官の武田龍夫氏の著書『物語 北欧の歴史』では、[69]第2次世界大戦中のスウェーデンの対応について詳述しています。同書によると、スウェーデンは中立国であるにもかかわらず、戦争の初期にはドイツへの援助を行い、戦争が進むにつれて連合軍への支援も行い、と

旧ドイツ軍のラトビア兵士がスウェーデンのレンネスレット収容所に拘留されている様子
（ラトビア占領博物館）

きには中立違反することもありました。具体的には、1941年6月から7月にかけて、ドイツ国防軍の完全武装した師団がスウェーデンの鉄道網を使い、ノルウェーからフィンランドへの移動を許可されました。[70] また、ドイツ兵が休暇を理由にスウェーデンを通過し、ノルウェーへ移動することも認めていました。[71] 加えて、戦時中ドイツへの鉄鉱石の売却も継続されたのでした。[72]

一方で、スウェーデンは連合国へも援助を行いました。たとえば、ドイツの不発V2号ロケット弾をイギリスに送ったり、ノルウェーやデンマークのレジスタント要因を避難させたり、自由義勇軍の訓練を実施したり、ほかにも多くの支援を連合国に対しても実施しました。[73] 武田氏によれば、[74] スウェーデン政府はこうした行為が明らかな「中立違反」であることを認識していたとのことです。

その後、スウェーデンの中立政策は、国内外で広く議論されました。肯定的な見方では、戦時中に多くのユダヤ人や政治的反体制派を受け入れたことがあげられます。[75]一方で、スウェーデンのジャーナリスト、アルネ・ルース氏は、大国間の圧力に屈して、自国の安全や経済的利益を守り、実際には中立ではなかったと指摘しています。さらに彼は、ドイツへの鉄鉱石の売却が、ドイツの軍事力を支える重要な要因にもなったと述べています。[76]

また、1997年のニューヨークタイムズの記事では、第2次世界大戦中の「中立」は政治的、経済的、外交的な要素によって形成され、必ずしも絶対的なものではなかったと報じています。立教大学法学部助教、清水謙氏も、[77]「スウェーデンの「中立」は確固たる理念に基づいたものではなく、国際政治で生き残るための政策だった」と2022年の朝日新聞の中で述べています。

2022年のウクライナ侵攻を受け、スウェーデンはNATO加盟へ申請しました。そして、これまでの生き残りをかけた長きにわたる中立化政策から転換し、現在、NATO加盟国という新たな道を進み始めています。

6 核兵器開発と戦闘機グリペン

ヨーテボリ市から車で約30分北に進むと、セーブ空港があり、その隣には航空博物館があります。この博物館は世界的にも珍しい場所で、冷戦時代の最高機密基地だった過去を持ちながら、冷戦の終結後、2008年から一般に公開されています。[78]訪れる人々は、古い戦闘機に乗ったり、フライトシミュレーターを楽しんだりでき、子どもから大人まで幅広い年齢層に人気があります。

この基地は、東西冷戦が激化するなか、飛行場に隣接する岩山の下にトンネル状の地下基地が建設され、1955年に完成しました。当時、中立国であるスウェーデンでも旧ソ連の侵攻を懸念しており、核攻撃などに備え、指令所や格納庫部分は地下約30メートルの岩盤の下につくられました。そのため、入り口はトンネル下にあり、中に入ると、そこには広大な地下格納庫が広っています。この地下エリアの広さは、2万2000平方メートルにもなり、そこには多くの戦闘機やヘリコプターが収められています。

博物館内には、多くのスウェーデン歴代の戦闘機が展示されています。特に冷戦下に製造されたサーブ32「ランセン」は目を引きます。冷戦中、バルト海を挟んで旧ソ連と対峙するスウェーデンには、緊張が走っていました。この状況下、海岸線全長2000キロのどこにでも1時間以内に到達でき、敵の侵攻を阻止できるランセンが開発されました。

ランセン以外にも多くの戦闘機が展示されており、サーブ35「ドラケン」も見ることができます。この戦闘機は、高高度で高速に侵入してくる敵の爆撃機を迎撃するために設計された、スウェーデン初の超音速戦闘機です。加えて、有事の際には道路を滑走路として利用できる独自の形状である、「ダブルデルタ」を備えています。

さらに、サーブ37「ビゲン」も展示されています。ドラケンよりもさらに短い滑走距離で、一般の道路からでも運用可能な、全天候戦闘機として開発されました。ヘリコプターも多数展示されており、中には川崎製のヘリコプター（HKP4Y72）もあり、搭乗することもできます。

この博物館には多くの機体が展示されていますが、展示される全ての戦闘機は、サーブ社によって製造されたものです。サーブ社は、２０２１年の世界の軍需企業ランキングで、34位にランクインするスウェーデンの軍需企業であり[79]、主に、戦闘機や軍艦、潜水艦、各種レーダーなどの軍事製品を製造しています。

サーブ社が製造する戦闘機で最新の機体が、サーブ39「グリペン」です。グリペンは、ボルボがエンジンを製造し、レーダーや電気機器はエリクソンなどのスウェーデン企業が協力して製造されました[80]。グリペンの特徴として、小型軽量で整備・維持にかかるコストが低いことがあります。そのため、ブラジルや南アフリカ共和国など、中進国や発展途上国、経済規模の小さな先進国を中心に、次期主力戦闘機として売り込まれており、サーブ社の主力製品となっています。

この博物館には、軍事の歴史も展示されており、興味深いものとして、スウェーデンが秘密裏に核兵器開発をしてきた経緯も記されています。この説明によれば、１９４５年から１９５８年の間、スウェーデンは独自の核爆弾製造の研究を実施してきました。同時に、核兵器搭載可能な戦闘機、サーブＡ36の開発もしており、その開発段階で、すでにあるサーブＡ32「ランセン」にも核兵器を搭載する計画もありました。

しかし、この核兵器開発が公になると、一般市民からの反対の声が非常に強まりました。その結果、１９６８年にスウェーデンは核兵器不拡散条約に署名し、核兵器の研究は中止され、新型の戦闘機Ａ36の製造計画も中止されたのでした。この博物館を訪れると、冷戦時代の緊張状態やスウェーデンの軍事産業の歴史についても知ることができます。

航空博物館に展示されているサーブ社製造のサーブ37ビゲン

冷戦の終結後、この基地は一般に開放されており、その緊張も和らいだかに見えていました。しかし、２０１０年以降は、再び冷戦下のような緊張感が高まっています。２０１３年４月には、ロシア空軍が重爆撃機を使ってスウェーデンの攻撃目標に対する訓練を実施したのです。[81]さらに、９月には、ロシアの大規模な演習「ザーパド２０１３」で、スウェーデンを核攻撃の標的にした訓練も行いました。[82]

２０１９年１月には、２機のロシア戦闘機「スホーイ27」と偵察機が領域侵犯を行いました。[83]また、ウクライナ侵攻後の２０２２年３月には、核兵器を搭載したロシアの２機の爆撃機「スホーイ24」と、２機の戦闘機「スホーイ27」が、バルト海にあるスウェーデン領ゴットランド島付近で領空侵犯したのでした。[84]この領空侵犯に対処するため、スウェーデン空軍は「グリペン」を出動させました。

この際に対応にあたった『グリペンE型』戦闘機について、サーブ担当者は[85]、ロシアの最高性能の戦闘機に対抗でき、独自のネットワークシステムを搭載し、航空機間で通信して索敵、電波妨害、攻撃を分担する能力を備える機体だと述べています。この多性能なグリペンについて、スウェーデン空軍司令官、マッツ・ヘルゲソン氏は、[86]「グリペンE型はロシア戦闘機『スホーイ』を打ち負かすために設計された機体だ。大きな自信を持っている。ロシアの戦闘機は、グリペンに対抗できないだろう」とも述べています。さらに、経済紙フォーブスによれば、[87]グリペンは高速道路からの着陸発進が可能で、アメリカの戦闘機F－16よりも現在のウクライナの戦況に適した機体とされています。

実際、2023年8月に、ウクライナのゼレンスキー大統領は、対ロシア戦闘に優れた「グリペン」の提供を、スウェーデン政府に要請してもいます。しかし、スウェーデン政府は、[88]NATOへの加盟が認められた場合にのみ提供するとしました。ニューヨークタイムズによると、[89]こうしたグリペンを巡る交渉は、NATO加盟をなかなか認めなかったトルコを説得する、外交の一環でもあったと報じています。

冷戦の終結により平和な社会が訪れ、過去の秘密基地は今や、多くの子どもたちに人気のある航空博物館となっています。近年、再び緊張が高まっていますが、今後も、この空軍の基地が再び最前線の軍事基地とならず、子どもたちの笑顔が耐えない博物館で有り続けてもらいたいものです。そして、軍事兵器が生産され利用されることのない、平和な未来に向かうことを切に願っています。

7　852人死亡の海難事故と軍事物資密輸の疑念

ストックホルムの港は、近隣の国々と結ぶフェリーが行き来し、北欧のヴェネチアとも称される美しい水辺の風景が広がっています。港を行き交う船の中には、エストニアの首都、タリンと結ぶ旅客船フェリーもあり、週末には多くの観光客で賑わっています。そのタリンとストックホルムを結ぶ旅客船「エストニア号」で、1994年に、20世紀最悪の海難事故とも呼ばれる、乗客852人が犠牲となる大惨事が発生しました。

1994年9月27日の夜、悪天候の中、989人を乗せたエストニア号が出航しました。しかし、28日の深夜に突然、船体が激しく揺れ始め、わずか30分ほどで船は沈没したのでした。

1997年の事故調査報告では、[90] 荒天と高波の中で船首のバウバイザー（船の前面を保護する可動式のカバー）が開いたことが、沈没の主要な原因とされました。この事故の後、国際的な船舶安全基準の見直しや遭難時の対策強化など、航海の安全に関する多くの改革が実施されました。[91]

しかしながら、この沈没事故には発生当時から多くの疑念が持たれていました。

その沈没事故の後、犠牲者の家族や関係者は、当局に対し遺体の回収と埋葬、さらには船体の引き揚げを通じて事故の詳細を明らかにすることを強く要求しました。しかし、当局は技術的な困難さや、海底から遺体を回収することの倫理的な問題、さらに、船体や遺体を引き揚げるサルベージ作業は財政的に重荷であるとし、これらの作業は行われませんでした。

さらに、政府は、沈没した船体を海底に安定させるという理由で、数千トンの礫を、現場海域に沈めました。そして1995年には、スウェーデン、エストニア、ほかの関係国は「エストニア合意」を結び[92]、事故現場は聖域とされ、沈船への接近が禁止されてしまったのでした。真相が不透明なこうした状況は、多くの噂や憶測を呼び起こしました。

ドイツのジャーナリスト・ユッタ・ラーベ氏は[93]、入手したエストニアの船首部分の破片を研究所で検査したところ、爆発の痕跡があったと主張します。また、ラーベ氏は、エストニア合意が実際には、ロシアの軍事物資を密輸する活動を隠蔽するためのものであると指摘しました。こうした主張を受け、2004年にスウェーデンとエストニアの両政府は調査を再開しました[94]。しかし最終的に、スウェーデンの国防省は、沈没した当日に爆発物は積み込まれていなかったと発表し、調査は終了したのでした。

多くの噂が広まったのは、2004年に、SVTが放送した番組「ウップドラーグ・グランスクニング」の調査がきっかけです[95]。この番組では、1994年のエストニア号沈没事故直前に、「2回」の秘密の軍事輸送が行われたと報じています。この報道によると、当時のスウェーデン税関長は特定の車両を検査しないように命じられていましたが、この指示に反して車両を調査した結果、ロシア製の軍事電子機器を発見したと述べています。さらに、当時のスウェーデン軍バルト海武官ソーレン氏も、ロシアからエストニアへ、そしてスウェーデンへも物資が流れていた可能性があると番組で話したのでした。

また実際に、2006年にエストニア当局が発表した調査報告書には[96]、軍はエストニア号沈没前の『１９９４年9月14日と、9月20日』にエストニア号を利用して、軍事物資を秘密裏に輸送していたことが記載されています。この報告書には、エストニア国防軍の司令官アレクサンダー氏を含む複数の軍事関係者が、エストニア号を使って機関銃、ロケット弾、さらに放射性物質まで、多くの物資が不法に輸送されていたという主張も含まれていました。

にもかかわらず、両政府は最終的に、エストニア号が沈没した当日の『9月28日』には、軍事物資の秘密輸送は行われておらず、沈没が軍事物資の爆発によるものではないと結論付けました。この決定により、この悲劇に関する調査は終了したのでした。

沈没事故から26年が経過した２０２０年9月、これまでの調査結果に疑問を投げかける、新たな証拠を提示したドキュメンタリー番組「エストニア」が放映されました。この番組のスタッフは沈没海域で潜水調査を行い、公式調査では確認されていなかった船体の新たな４メートルの穴を発見しました。番組では、外側から非常に強い力が加わらなければこうした損傷はできないと述べ、事故当日に何が起こったのか謎が深まりました。

さらに、ジャーナリストのラーシュ・ボーグナス氏は、スウェーデンの諜報部（ＫＳＩ）が関与し、エストニア号がロシアからスウェーデンへ軍事物資を密輸していた可能性を指摘しました。この番組によって明らかになった新たな事実は、スウェーデンで大きなニュースになりました。しかし、エストニア合意により沈没海域での潜水が禁止されていたため、このドキュメンタリーの監督と1名の撮影スタッフは逮捕されました。[97]

番組に対する反響はとても大きく、２０２１年にはスウェーデン、エストニア、フィンランドの政府が再び事故の調査を開始する決定を下しました。[98]

その後、2023年1月に、エストニア号の沈没に関する再調査の中間報告が公表されました。[99]この報告は暫定的なものでしたが、1997年の調査結果と同じく、事故当日に軍事物資が輸送されていた証拠はなく、爆発や衝突の痕跡も見つからなかったと結論付けられたのでした。

しかし、この中間報告では、以前の調査で明らかになっていた、軍による軍事物資の秘密輸送が、「2回」とされていたのに対し、実際には『数回』にわたって行われていたという、新たな事実も明らかになりました。調査の委員長であるジョナス・ベクストランド氏は、税関と軍の間で秘密裏に交わされた軍事物資の輸送に関する合意を、政府は知っていたと指摘しています。[100]

この事故の最終報告書は2024年に公表される予定ですが、[101]852人もの犠牲者を出した悲惨な事故の原因は、いまだに明らかになっていません。

2023年5月、SVTは犠牲者とその家族を支援する財団（SEA）の議長ベルグランド氏にインタビューを行いました。[102]ベルグランド氏は、初期調査と変わらない中間報告に、「非常に残念です」と語りました。また、犠牲者の家族も「もう本当に疲れました」と述べています。[103]

現在、財団はこの中間報告を受け、関係当局に対し適切な方法での調査の実施を要求しており、公平で透明性の高い独立した国際調査委員会の設立を求めています。[104]

この悲劇から約30年の月日が経過した今も、犠牲者の家族の心には癒えない傷が残り、その悲しみは続いています。

7章

NATO加盟と国民の幸福保障

1 パルメ首相の多文化主義

プロローグで記したように、スウェーデンのNATO加盟に大きく影響したのは、国内に住むクルド人の存在とコーラン焼却デモでした。では、なぜこうした状況が生まれたのでしょうか？まず、クルド人がスウェーデンに多く住む背景には、70年代から80年代にかけて先駆的に導入された多文化主義の影響があります。[1] クルド人は、国家を持たない世界最大の民族で、約3600万から4500万人が主にトルコ、イラク、イラン、シリアで生活しており、歴史的に迫害や虐殺にさらされてきました。

　この時期に首相だった社民党のオロフ・パルメは、反戦と平和、また多文化主義を掲げていました。[2] この首相のもとで、スウェーデンは中立国として国際的な平和の推進者として名を馳せ、多くの移民や難民を受け入れる方針を強化していきました。同時に、国内では多文化教育を推進し、国際的には核兵器の不拡散や軍縮を訴え続けたのでした。

　１９８６年のワシントン・ポストによれば、[3] このパルメのリーダーシップが、スウェーデンの、中立で人道的、思いやりのある、国家イメージを築き上げたと報じています。そして、１９７５年には外国人参政権も導入され、その結果、70年代から90年代にかけて、多くのクルド人がトルコ、イラン、イラクなどから難民として流入しました。現在では約10万人のクルド人がスウェーデンに居住しています。

　リンネ大学の民族関係専門家、バルズー・エリアッシ准教授によれば、[4] この多文化主義政策が、中東では得られない市民権や政治的権利をクルド人に与え、彼らのアイデンティティの強化を図ったといいます。また、クルド人に文化的・政治的な組織の結成が認められたため、トルコなどの国々はスウェーデンの多文化主義を脅威と捉えました。さらに、外国人参政権が導入された後は、ヨーロッパからの労働移民に代わり、クルド人だけでなく非ヨーロッパ出身の難民が増えたのでした。[5]

　こうした多文化社会が背景となり、スウェーデンではコーラン焼却事件が多発しました。この事件の背後には、主に２人の人物が関与しています。最初の人物はデンマーク系のスウェーデン人で、プロローグで記した極右政党の党首、ラスムス・パルダンです。[6] 彼は「反移民と反イスラム」のスローガンを掲げて、何度もコーラン焼却デモを実施し、さらには暴動を引き起こしました。[7] 2021年1月には、ストックホルムのトルコ大使館の前でコーランを焼却し、[8] その結果、エルドアン大統領はNATO加盟をめざすスウェーデンに対して、厳しい姿勢を取るようになりました。こうしたパルダンに対し、トルコの裁判所は、2023年7月に逮捕状を出したのでした。[9]

2人目のコーラン焼却デモの実行者は、スウェーデンに住むイラク人「難民」のサルワン・モミカです。この人物は、2023年4月、コーラン焼却が「合法」という裁決後、[10] 2023年6月のイスラム教徒にとって重要な祝日「犠牲祭」に、反イスラムを掲げ、ストックホルムのモスク前でコーランの中にベーコンを入れ焼却しました。[11]

SVTによると、[12] これを受けイラクのイスラム教シーア派の宗教指導者、ムクタダ・アル・サドル師は、スウェーデンを「イスラムに敵対的」と呼び、人々に抗議を呼びかけます。これにより、数百人のイラク人がバグダッドのスウェーデン大使館を襲撃し放火しました。イラク政府もスウェーデン大使の国外退去を求め、全てのスウェーデン企業との取引を停止したのでした。[13]

また、イラクにとどまらず、トルコを含む多くのイスラム教の国々でも、スウェーデン大使を呼び出すなど、厳しい非難の声が上がりました。[14] その後、スウェーデン治安警察は、「テロの脅威」が増大していると判断し、2023年8月に国内のテロ脅威レベルを5段階中の4にまで引き上げたのでした。[15]

テロの脅威が高まるなか、実際に2023年10月、ベルギーでサッカー試合前のスウェーデン人サポーターを標的とした銃撃テロが発生し、2人が死亡、1人が負傷しました。SVTによれば[16]、犯人はイスラム教徒であり、「イスラムからの報復」としてスウェーデン人を殺害したと報じられています。知人のスウェーデン人は、「コーラン焼却を認める表現の自由はそこまで重要なのだろうか」と話していました。

パルダンとモミカ、2人に共通する点は何でしょうか？

両者とも反イスラムを唱えていますが、パルダンは「反移民」、モミカは自身が「難民」と、お互いの立場は違うものの、スウェーデンの寛容な『移民政策』を背景に意見を主張し、コーラン焼却デモを実施しました。これがNATOへの加盟や外交・経済にも影響し、イスラム教徒からの強い反発を生み、テロの脅威が高まる状況にまで発展してしまったのでした。

また、5章で記したギャング「フォックストロット」による凶悪事件も、「移民政策」が背景にありました。さらに、「クルドの狐」と呼ばれるリーダー、ラワ・マジドの両親は、イラク出身の『クルド人難民』でした[17]。2018年に、犯罪者であるマジドは海外に逃亡しましたが、スウェーデン警察はトルコに逮捕協力を要請していました。アフトンブラデット紙によると[18]、トルコに提供した機密情報が、犯罪グループに漏洩していたとのことです。そのため、2022年にマジドはトルコ警察に逮捕されたものの、なぜか数週間後にトルコ国籍が与えられました。スウェーデン警察は身柄引き渡しを要請しますが、トルコは自国民の身柄を引き渡すことを拒否し、その後、マジドは明確な理由もなく釈放されたのでした。アフトンブラデットの記者ヴォルフガング氏によれば、[19]この問題は、スウェーデンのNATO加盟に関するトルコの「外交戦略」としても機能していたと述べています。

このように、現在、スウェーデンの最大の課題である、『移民問題』を背景とするギャング犯罪は、国内問題だけでなく、国際安全保障にまで影響しはじめているのです。

それでは、難なくNATO加盟を果たしたフィンランドとの違いは何でしょうか？

その大きな違いの1つに『移民状況』があり、移民と難民の数、および出身国が大きく異なっていることがあげられます。2021年の時点で、フィンランドの人口のうち、外国人背景者は8・4％で、移民の出身国で最も多いのはエストニア、ロシア、およびスウェーデンなどの近隣諸国です。[20]一方、スウェーデンにおいては、外国人背景者が人口の26・3％を占め、[21]2000年以降、最も多いのはシリア、イラク、ポーランド、ソマリア、アフガニスタンと中東地域が中心です。[22]

そのため、フィンランドはスウェーデンほどの多文化社会になっていません。また、クルド人の数はスウェーデンの6分の1ほどしかいません。[23]コーラン焼却デモも発生しておらず、テロの脅威も特に高くありません。さらに、ギャング犯罪も少ないため、これをNATO加盟に利用されることもありませんでした。

こうした多くのスウェーデンの『移民に関連する課題』に直面するなか、2023年9月に、スウェーデンのウルフ・クリスターソン首相は、「政治家（社民党）の無知と、無責任な移民政策と統合の失敗」に対処するために、「移民政策の見直し」をすると発表したのでした。[24]

70年代から80年代、オロフ・パルメ首相の多文化主義と移民政策は、戦火から逃れてきた多くの難民を受け入れ、世界の国々から寛大で平和な国家として呼ばれるようになりました。しかし一方で、時を経た今、NATO加盟の困難や治安の悪化、テロの脅威増大など想定外の方向に進み、国民の生活に大きな影響を及ぼす状況となっています。

2 ウクライナ支援で取り戻した武器製造の誇り

ストックホルムから西に約250キロ離れた内陸地に、美しい湖畔のカールスクーガ市があります。この市はジェンダー平等の視点から、いち早く「均等除雪」を導入した都市（1章を参照）であり、またノーベル賞の創設者であるアルフレッド・ノーベルが晩年を過ごした「ビョークボルン邸」や、ノーベルの歴史を知ることのできる博物館があります。[25]

ノーベルは化学者、エンジニア、そして実業家として知られ、ダイナマイトをはじめとする強力な爆薬を発明し、さらにノーベル賞を創設した人物です。[26] 1865年に爆破用の雷管を発明し、これにより爆薬の現代化が進みました。そして、1867年にはダイナマイトを発明し、生涯を通じて多くのヨーロッパの軍隊が求めていた無煙火薬の開発に尽力したのでした。

彼はスウェーデン、ロシア、ドイツ、フランス、アメリカ、イギリス、イタリアに住み、14か国に16の爆発物製造工場を設立しました。そして、最後に住んだのがカールスクーガであり、ここでノーベルは、当時大砲を製造していた「ボフォース社」を買収し、火薬と射撃実験を行いました。現在でも、この博物館で復元されたノーベルの実験室を見学できます。

作家であり、ノーベル文学賞を選出するスウェーデンアカデミーの会員でもあるイングリッド・カールバーグ氏によれば[27]、ノーベルは武器産業と平和主義の間に矛盾を感じておらず、武器を抑止力として捉えていたといいます。また、2021年の日刊ニュース「ザ・ローカル」によると[28]、カールスクーガ市の武器の火薬を製造するボフォース・エウレンコ社のマーケティングディレクター、ホーカン・スヴェンソン氏は、「私たちはアルフレッド・ノーベルの考えを受け継いでいると考えています。世界を安定させ、安全に保つために一定の軍事生産が必要です。ただし、その軍事生産は防衛のために使用されるべきであり、攻撃のためではないことが重要です」と語っています。

ノーベルの死後、ボフォース社は第2次世界大戦後、国防への再軍備により、60年代から70年代に繁栄し、市の人口の約4万人に対して、約1万人がボフォース社の従業員となりました。博物館によれば、工場の周囲にはボフォース社が経営する店舗、住宅、医師、肉屋、仕立屋など、さまざまな事業が展開され、街はボフォースにより成長していきました。街の人はこうした街とボフォース社を誇りに感じていたといいます。そのため、今も街を歩くと、「ボフォース」という名前のホテルや駅、テニス場、またアイスホッケーチームなど、カールスクーガ市がボフォース社と共に繁栄してきたことがわかります。

70年代に繁栄したボフォースですが、突如大きなスキャンダルが発覚しました。1983年にボフォース社の社員、イングヴァル・ブラット氏が、ボフォースは武器輸出の禁止されているバーレーンとドバイに、携帯式防空ミサイルシステムRBS70を密輸出していると内部告発したのでした。さらに、1987年に同社が、インドに対して榴弾砲の大量注文を獲得するため、賄賂を送っていたことも明らかとなったのです。

この2つのスキャンダルは「ボフォース事件」と呼ばれ、ボフォースとスウェーデン全体の国際的な評判を落としました。この結果、かつて1万人いたボフォースの従業員は、数千人へと減少したのでした。内部告発をしたイングヴァル氏は、街から裏切り者として扱われ殺害の脅迫状が送られたこともありました。しかし一方で、国際的には評価され、「80年代で最も勇敢な男」という賞を受賞しました。

ボフォース事件が公になった後、ボフォースは幾つかの組織変更を経験し、2000年に入り同社は2つに分かれました。1つはスウェーデンの防衛産業大手サーブの傘下に入るサーブ・ボフォース・ダイナミックスとして、もう一方はイギリスのBAEシステムズの子会社となるBAEシステムズABとなりました。

その後、国際情勢が変化し、2014年のクリミア侵攻を受け、スウェーデンや西洋諸国では、防衛装備の必要性が増しました。ヨーテボリ新聞によれば、[29] 2020年に政府は総合防衛力を強化する方針を採り、現在、再びスウェーデンの武器生産が国際的に注目されています。

特に2022年のウクライナ侵攻の後、カールスクーガ市ではサーブ・ボフォース・ダイナミックスと、BAEシステムズABの両社への新たな注文が増加し、雇用が拡大しました。これにより、看護助手、美容師、店舗スタッフとして働く人の中には、仕事を辞めて、代わりに条件の良い高給のサーブ・ボフォース・ダイナミックスで手榴弾の組み立てを行う人もいます。また、自動車整備士だった人の中にも、ＢＡＥシステムズＡＢで自走榴弾砲の組み立てに従事する人も出てきています。この変化に伴い、武器開発のため、新たに数百人のエンジニアも雇用されています。同時に、街では大砲や兵器のテストが射撃場で鳴り響くようになりました。市議会議長トニー・リング氏によると、住民たちはこの爆発音を聞くと、街にお金をもたらす音だと冗談交じりで話しているといいます。

　また、彼は、「カールスクーガの住民たちが、再び街を誇りに思う時代が戻ってきた。長らく、カールスクーガ出身であることを誇りに思うことはありませんでした。新卒のエンジニアたちは『カールスクーガで兵器を製造するために働きたくない』と考えていました。しかし、現在では再び街のことを話題にしています。なぜなら、私たちはプーチンに対抗する戦争に貢献しており、それによって私たちの評価が急上昇しているからです」と語っています。

　こうしたカールスクーガ市の事業は、国際的な出来事とも関連しています。ウクライナ侵攻後、スウェーデン政府はウクライナに５０００基の対戦車ミサイル（ＮＬＡＷ）と、対戦車兵器（ＡＴ４）、無反動ライフル（カールグスタフ）、戦闘車両（ＣＶ90）など、43億クローナ相当（約６２４億円）の武器を提供しました。[30] 特に、ＮＬＡＷはウクライナの善戦を支えている武器となっています。これらの武器を製造しているのがサーブ・ボフォース・ダイナミックスと、ＢＡＥシステムズＡＢです。そして、カールスクーガ市のサーブ・ボフォース・ダイナミックスでは、対戦車ミサイル（ＮＬＡＷ）と、対戦車兵器（ＡＴ４）が製造されています。

責任者ヨーゲン・ヨハンソン氏は、「実際に私たちの製品が使用されることを望んでいませんが、その必要性は明白です。一方で、望んでいないのに戦場に送られる可哀想なロシア兵がいるため、気持ちは非常に複雑です」と述べています。同時に、「自分たちの製造している武器がウクライナを支援し、戦争に貢献できていることを誇りに感じている」と語っています。

3 軍需産業は国民を幸福にするか

ギリシャ神話に出てくる強さの象徴、鳥獣グリフィンをデザインしたロゴが特徴的なサーブ社は、スウェーデンを代表する軍需企業です。[31] ２０２１年のストックホルム国際平和研究所によると、[32]サーブは世界の軍需企業ランキングで34位に位置付けられています。そして、サーブは、高い操縦性を持つ戦闘機グリペンやステルス機能を誇るコルベット軍艦、優れたエンジン性能の潜水艦など、世界で高く評価される兵器を製造しており、国外への輸出もしています。

そのため、ウクライナ侵攻後に国際的な緊張が高まるなか、スウェーデン製、特にサーブ製の武器が大きな注目を集めています。２０２２年、サーブの受注残高は、前年比21％増の１２８０億クローナ（約１兆８５６０億円）に達し、[33] 株価も侵攻前の２１１・８クローナ（約３０００円）から、侵攻１か月後には３６８・３クローナ（約５３４０円）へ急騰しました。[34] ＮＡＴＯ加盟申請後の２０２３年４月には、侵攻前の約３倍の６４７・４クローナ（約９３９０円）にまで上昇しました。

スロベニアの政治学者、サモ・ブルハ氏によると、[35]スウェーデンでは近年、輸出の重要性が増しています。1990年の約6000万ドル（約86億8980万円）だったスウェーデンの貿易黒字は、2020年には約236億ドル（約3兆5400億円）に急増し、そのGDP比率も0・02％から4・4％へと大幅に上昇しました。同様に、2015年から2019年の間に国防産業における輸出割合は41％から53・5％に増え、軍需品の輸出が輸出総額に占める割合も0・64％から1・07％に上昇しました。そのため、2021年の人口1人あたりの軍需輸出額は世界4位であります。さらに、アフガニスタン紛争が開始した2001年や、シリア内戦の開始した2011年には人口あたり世界1位となっています。[36]

ブルハ氏によると、スウェーデンは、国の中立性とは対照的に、小規模ながら世界最大の武器輸出国の1つであると指摘しています。彼は、同国が軍需輸出を拡大することで、低い経済成長の中で重要な収入源を確保し、財政と軍事能力を強化しているとも述べています。また、スウェーデンの新聞「コレン」によると、[37]サーブは多くの産業や研究分野で、技術的なスピンオフ効果を生んでいると報じています。さらに、2012年の日本経済団体連合会の調査によれば、[38]サーブ社がグリペンの開発と生産に投じた投資額に対して、2・6倍の経済的波及効果が得られたという調査結果も示されています。

ブルハ氏は、このような軍需品の重要性がスウェーデンを、軍需品輸出量と1人あたりの軍需輸出量ともに高い、世界有数の武器輸出国に押し上げたと指摘しています。加えて、現在の低経済成長と高齢化社会のなかで、武器産業の成長と輸出は、国家予算の確保だけでなく、福祉国家の資金源として重要であり、今後はさらに武器輸出への依存度が高まるだろうと述べています。

元駐スウェーデン特命全権大使の森元誠二氏は[39]、スウェーデンのNATO加盟に関して、NATOにとって、サーブを筆頭とした高品質な兵器を持つスウェーデンが加盟することの軍事的な意義は大きいと指摘しています。また、イギリスの国際戦略研究所IISSの分析では[40]、スウェーデンの国防産業が輸出指向であり、サーブの総売上の58％は国外からであるため、スウェーデンにとってNATOへの加盟は、加盟国への市場アクセスを容易にし、新たなビジネスチャンスを生みやすくなると述べています。

実際に、SVTによれば[41]、2023年9月、カールスクーガ市のサーブ・ボフォース・ダイナミックスは、アメリカ軍から対戦車兵器（AT4）と、無反動ライフル（カールグスタフ）の弾薬を、約10億クローナ（約145億円）で受注しました。加えて、スウェーデン政府は現在、サーブ製の戦闘機グリペンをウクライナに提供することも検討しています[42]。もし実際に提供され、その性能の高さが示されれば、次のビジネス拡大につながる可能性もあります[43]。

さらに、2022年12月には日本政府とスウェーデン政府が防衛装備品・技術移転協定に署名しており[44]。今後はさらに、スウェーデン製の武器の国際取引が日本を含め増加する可能性が出ています。

軍需産業が活発化する状況下、2023年4月に、ヨーテボリ市で実施されたNATO加盟反対のデモの中では、「NATO加盟の申請が民主的な過程を踏んでおらず、武器産業が後押しをして急速に進めている」という声も上がりました[45]。

しかし、そうしたデモとは裏腹に、ウクライナ侵攻を受け、NATOにとってもスウェーデン製の武器への重要性が増しています。私の知り合いの中にも何人か軍需企業で働く人がいるため、実情を尋ねたことがあります。ただ、社内では自分が所属する部署以外は立入禁止であり、複数の機密保持契約に署名しているため、社内情報は話せないと言われました。しかし、過去に軍需企業で働いていた知人は「すごく儲かるよ」とだけ教えてくれました。

ウクライナ侵攻後、スウェーデンは長きにわたる中立政策を転換し、NATO加盟国入りしました。2024年の国連の世界幸福度ランキングでは、過去13年連続トップ10入りを果たす福祉国家にとって[46]、NATOへの加盟は、国家安全保障の強化だけではなく、輸出拡大により経済成長を図り、国民の幸福保障を確保するという重要な側面も持ち合わせているのです。

4　いまだに真相不明、パルメ首相暗殺事件

ストックホルム市内の人通りの多いスヴェアヴェーゲン通りと、トンネル通りとの交差点には慰霊プレートが埋め込まれています。この慰霊プレートは反戦平和を唱え続けたスウェーデンのオロフ・パルメ首相が暗殺された事件を悼みつくられたものです。

1986年2月28日の夜、パルメ首相は警護員をつけず映画館に出かけていました。映画の後、妻と共にスヴェアヴェーゲン通りを歩いていると、突然、後ろから2発の銃撃を受け、パルメ首相はその場で命を落としたのでした。警察は捜査を進め、現場から弾丸は見つかりましたが、銃

は見つかりませんでした。また、現場が適切に封鎖されなかったため、証拠はほとんど消えてしまったのでした。

BBCの報道によれば[47]、初めの主任捜査官は、パルメ政府がテロ組織と見なしたクルド人過激派PKKの関与を疑いましたが、証拠は見つかりませんでした。

1988年に、警察はクリステル・ペターションを逮捕し、1989年に終身刑が下されました。ですが、動機や殺害の武器がないと控訴し、3か月後に釈放されました。その後、長い間、犯人の特定が進みませんでした。そのため、この事件は国民に深いトラウマを残し、「パルメ病」という用語が生まれるほどの影響を及ぼしたのでした。そうしたなか、この事件へのさまざまな推論が出てきます。

1つ目に、南アフリカの元警察官は、アパルトヘイトに反対するパルメが、反アパルトヘイトのアフリカ民族会議へ資金提供しことを理由に殺害されたと主張。しかし、警察は証拠を見つけられませんでした。

2つ目に、スウェーデン人作家、ヤン・ボンデソン氏は、「ボフォース事件」と呼ばれる軍需企業ボフォースの武器取引での賄賂に関連していると主張。この主張では、パルメが殺害日にボフォースの不正を知っていた可能性があり、これが賄賂を行った中間業者の殺害動機となったといいます。しかし、彼は、警察がこの主張を無視しているとも述べています。

3つ目に、「スカンディアマン」として知られるスティグ・エングストロムによる犯行です。彼はパルメの左派政策に強く反対しており、殺害現場近くの保険会社スカンディアで広告コンサ

パルメ首相が暗殺された場所に埋め込まれた慰霊プレート

ルタントとして勤務し、暗殺を目撃した約20人のうちの1人でした。そうした背景から警察は、事件から30年以上経過した2020年に、エングストロムを最重要容疑者としてあげたのでした。しかし、彼は2000年に自殺していました。そのため、警察は捜査を終了すると発表したのでした。

しかし、この結果に納得がいかない声が多く上がりました。また、結論が出るまでに、なぜこれほど長い時間がかかったのかという国民の疑問や、容疑者が死亡して裁判が不可能なことへの怒りもでています。

ヤン・ボンデソン氏は、「多くのスウェーデン人はエングストロムが真犯人の替え玉にされたと考えている。犯人は背が高く力強い人物だが、彼の風貌は小柄で目立たず、犯行を犯すとは考えにくい」と指摘しました。さらに、当時の首相ステファン・ロヴェーン氏も、「最善の対応は事件の早期解決であった。長年の調査の中で多くの誤りや過ちが生じた」と述べました。最終的に事件の真相は明らかにならず、この暗殺事件は未解決のまま幕を閉じたのでした。

なぜこうした悲劇が起きたのでしょうか？

この事件を深く理解するために、パルメ首相の経歴と彼の時代に焦点を当て見ていきましょう。

パルメは1927年に上流階級に生まれ、1949年に社民党に入党しました。彼はスウェーデン福祉の父の1人、ターゲ・エルランデル元首相の弟子として、1969～76年と1982～86年の2期、首相として活躍しました。首相としての在任中、労働組合の力を増強し、医療や福祉制度を大幅に拡充、君主制から全ての公的な政治的権力を剥奪し、教育への投資を大幅に増やしました。

オロフ・パルメ国際センターの事務局アンナ・サンドストローム氏によると、特に重要なパルメの改革の1つとして、保育所や幼稚園の設立があります。これにより、女性が初めて労働力として働けるようになり、スウェーデンの男女平等が進展したのでした。

また、パルメは積極的に反戦平和活動に取り組みました。1968年のソ連のチェコスロバキア侵攻に反対。1972年、アメリカのベトナム北部への爆撃を、第2次世界大戦中のナチスの強制収容所と比較して批判したのです。こうした発言はアメリカとの関係に一時的な冷却をもたらします。

しかし、1973年のニューヨークタイムズのインタビューで、[48]「後悔していない。世界で誰かに自分の意見を伝えるためには、声を張り上げる必要がある。この問題について黙るつもりもないし、黙っていることを強いられる必要もない」と語ったのでした。

さらに、南アフリカの人種差別的なアパルトヘイト制度を、「特に残忍な制度」と呼び、アフリカ民族会議に資金提供。スペインのフランコ総統のファシスト政権を、「いまいましい殺し屋」と非難。核兵器の拡散に反対のキャンペーンも実施。また、1980年代のイラン・イラク戦争中に仲介者としても活動しました。

こうした彼の行動は国内の企業経営者や自由主義者から怒りを呼び、世界中の指導者を激怒させました。そのため、命が狙われた理由はいくつもあったといえます。ただ、サンドストローム氏は、「特に右翼から強い反感を買っていました。ですが、多くの国民から尊敬され、愛された首相でした」と述べています。

パルメ首相を悼む慰霊プレートには、スウェーデン福祉の最高期を築いた業績や、世界平和を追求した理念、そして彼を悼む人々の気持ちが刻まれています。彼の業績や理念を称え、今でも献花のために訪れる人は後を絶ちません。

5　パルメ後の「新自由主義」が国を変えた

反戦平和、福祉の強化など左派的政策を進めたオロフ・パルメ首相の死後、1986年に社民党のイングヴァール・カールソン政権が誕生しました。しかし、80年代末から90年代初めにかけて、スウェーデンは金融危機、不動産バブルの崩壊、高失業率といった深刻な経済危機に直面しました。[49] この状況下、1991年の選挙で社民党は敗北し、中道右派の穏健党による連立政権が成立します。この政権では新自由主義的な経済政策が推進され、公共部門の民営化や規制緩和が進行しました。

新自由主義は、福祉・公共サービスの縮小、規制緩和、および市場原理の重視を特徴とする経済思想です。[50]この思想は80年代、サッチャー首相やレーガン大統領の下で導入され、その後、世界中に広まりました。

リンシェーピング大学のマグナス・ダールシュテット教授の研究によれば、[51]この時期からスウェーデンの福祉制度は、伝統的な社会民主主義的なモデルから、新自由主義的な特徴を持つ新しい福祉モデルへ変わり始めました。現在のスウェーデンでは、この新自由主義の導入以降、労働市場をさらに柔軟にし競争力を高めるためにも、社会政策より「経済政策が重視」されているといいます。加え、パルメ首相が就任していた、70年代の福祉国家の全盛期とは異なり、現在では民間主導のコスト重視型の福祉国家へと移行していると教授は指摘しています。

また、経済統計サイト「エコノミー・ファクタ」によれば、[52]スウェーデンの70～80年代のGDP成長率はEUやOECDの平均より低いものでした。しかし、90年代初頭の危機以降、スウェーデン経済は米国の経済とほぼ同じ傾向を示し、比較的高い成長を遂げ、OECDの平均を上回りました。2020年のコロナ禍の初期段階で景気の後退が起きましたが、その後、経済成長率はコロナ禍前の水準を超えて回復しており、スウェーデン経済の強さが示されています。

一方で、福祉が低下したという声も増えています。カロリンスカ研究所のボー・バーストローム教授によると、[53]「スウェーデンの福祉国家はかつて社会的平等と市民の権利を実現するために発展してきました。しかし、最近では新しい方向へと転換しています。具体的には、社会サービスの選択肢を広げる改革が進められ、保育や学校教育、医療、高齢者ケアなど、税金で運営されるサービスが増加しています。他方で、サービス提供は民間企業が行うケースが増えています。

そのなか、特にプライベートエクイティ企業（未公開株式会社への投資ファンド）は、福祉サービスから大きな利益を上げています。この変化は過去20年間で徐々に進行してきました。特に最近の10年で、そのスピードが加速しています。かつては病気や失業に対する保険は寛容でしたが、現在、その寛容さが低下し、給付を受け取る人々の相対的な生活水準も低下しています。さらに、この20年間で所得格差が拡大し、社会的格差が広がっています。こうした変化から、スウェーデンはほかのOECD国ともあまり変わらなくなってきている」と述べています。

また、ストックホルムの独立研究機関IFFSによれば、[54]福祉サービスの民営化に伴い、民間企業がサービスの提供を担当することで、生徒の成績の低下や民間企業のスキャンダルなどが発生し、民間のサービス提供者に関する問題が多く起きていることが指摘されています。

さらに、2023年の日刊ニュース「ザ・ローカル」では、[55]スウェーデンの病院では医療サービスの質が低下しており、「ひどい、全く受け入れられない」状況であると記しています。実際に現在、医療機関での長い診察待ちや、コロナ禍における高齢者施設での多くの高齢者の死亡などが発生しています。

教育に関しても、日刊ニュース「ザ・ローカル」の記事では、[56]「2000年代初頭、スウェーデンの学生はTIMSS、PIRLS、PISAの国際ランキングで高得点を記録し、2001

年のＰＩＲＬＳリテラシー調査では10歳の生徒が最も高いスコアを獲得した。しかし、その後のスコアは低下し続け、２０１２年のＰＩＳＡランキングでは10年間の調査で最も大きくスコアが下がった国となり、ＯＥＣＤはスウェーデンが「道を見失った」と評した」と報じています。最新の２０２２年の結果でも、読解力が18位、科学的リテラシーが21位、数学的リテラシーが22位で、過去20年間で成績の低下が最も顕著でありました。[57]

加え、企業では数年に一度、大規模なリストラが実施されています。最近の動向を見ると、２０２２年にファッション小売店のＨ＆Ｍは１５００人を解雇しています。２０２３年には、スウェーデンを代表する自動車会社のボルボでは国内で１３００人を解雇、通信企業エリクソンは１４００人を解雇し、さらに２０２４年には１２００人の解雇を行う予定です。[58] 90年代以降の新自由主義の導入により、経済は順調に成長しましたが、近年になって福祉サービスの低下や雇用の不安定化が顕著に現れています。

確かに、少子高齢化社会のなか、輸出指向のスウェーデン経済は、移民を多く受け入れたことで、[59]パルメ首相のめざした多文化社会を進展させ、経済成長を促しました。一方で、不満を抱えた移民や難民がギャングを形成し、凶悪犯罪が増加する状況も生んでしまいました。こうした状況下で、２０２３年9月に、ウルフ・クリスターソン首相が、「政治家（社民党）の無責任な移民政策と統合の失敗」と公表するほど、[60] 現在、解決すべき最大の課題にまで発展してしまっています。

ただ、歴史を振り返ると、左派的政策を掲げていたパルメ首相が暗殺された後、経済不況に直面したスウェーデンが、当時、世界で拡大していた新自由主義に影響を受けたことで、現在の状況が生み出されたことが見えてきます。

またこの影響は、スウェーデンだけでなく、フィンランドでも見られています。北海学園大学の横山純一名誉教授の著書『転機にたつフィンランド福祉国家』には、[61]スウェーデンほどではないものの、フィンランドでも新自由主義や市場原理主義に基づく理論が国や地方自治体の福祉政策に色濃く入ってきている。稼げる福祉に営利企業とくに大企業とグローバル企業が続々と参入している。老人ホームなど一部のサービスでは現在もほとんどが自治体直営サービスではあるが、民間サービスに置き換わるサービスが増えている。１９８０年代後半に実現したフィンランドの福祉国家とは明らかに変わったと記されています。

パルメ首相の後、１９９０年代以降における新自由主義の影響を受けた経済政策への転換は、数十年後の今日、国民の生活や安全、そして幸福にも大きな影響を与えています。また、現在、スウェーデンは長く続いた中立政策を転換し、ＮＡＴＯ加盟国としての道を歩みはじめました。

反戦平和を唱え、全ての人々が幸せに暮らせる、福祉国家の設立に尽力したパルメ首相が、もし今のスウェーデンを見たならば、彼は一体何を想うのでしょうか？

8章

幸福と経済 次の社会に向けて

1 経済とは本来幸せをつくる社会システム

ここまで、スウェーデンとフィンランドのさまざまな側面を「幸福」の観点から探ってきました。ただし、幸せな生活には「経済」も重要な役割を果たしています。実際、国連の世界幸福度報告書では、7つの指標のうち、1人あたりのGDP、社会的支援、出生時の健康寿命、汚職への認識といった経済と大きく関連する指標があげられており、これらの指標が幸福度に与える影響は大きいものです。[1] そのため、ここからは全ての人の幸福に大きく影響を与える経済に焦点を当て記していきます。

まず、スウェーデンでの幸福と経済との関係ですが、これまで述べたように、1990年代、新自由主義が世界を席巻するなか、同国では社会政策から経済政策への優先度が徐々に高まりだしました。この政策転換が経済成長を促し、女性の職場参加を増やすための施策が力を入れられたのです。これにより、育児支援の強化、クオータ制の採用、職場での女性に優しい環境づくりが進みました。そして、2023年にはジェンダー・ギャップ指数で世界5位にもなり、ジェンダー平等が進む社会となっています。実際に充実した制度に満足している人は多くいます。

しかし、一方で、近年、福祉の民営化とコスト重視の経営により、スウェーデンの医療や教育の質は低下し、高齢者介護にも問題が発生しています。そして、多文化主義のもとで、輸出指向の経済が融合した移民政策は、統合の失敗により治安の悪化をもたらしています。さらに、移民と難民の増加に反対するコーラン焼却デモが繰り返し発生し、テロの脅威を高め、外交問題やNATO加盟の障壁にもなり、国の安全保障にも影響を与えています。ただし、これらの問題の歴史をさかのぼると、根源は1990年代の「経済政策」の転換にあります。

フィンランドも、2018年から7年連続で世界幸福度ランキング1位、2023年のジェンダー・ギャップ指数は3位と、男女平等が進み育児サポートも世界的にも早く進められてきました。この背景には、第2次世界大戦後にソ連へ多額の賠償金を支払うため、経済を支える多くの労働者が必要であり、女性の社会進出が進んだことがあります（1章を参照）。両国とも歴史を辿ると、背景に「経済」による影響があり、それが社会や国民の生活に大きな影響を与えています。

しかし、ここで1つ疑問が浮かびます。「経済」とはよく耳にしますが、「経済」とは一体なんなのでしょう？

マクロ経済学では、[2]個人や組織が商品を生産・販売・購入し、利益・所得を受け取る活動や、その活動から発生する社会的関係をまとめて経済と呼びます。また、一橋大学経済学研究科の蓼沼宏一教授によれば、[3]「経済とは、本来、人々をより幸せにするための社会システム」であると述べています。そして、その経済が円滑に機能するために、何が不可欠かというと、それは「お金」です。それでは、お金の本来の意味と目的を理解するために、その起源と変遷を辿ってみましょう。

お金の物語は、古い時代にさかのぼります。初めは貝殻のような身近なもので物々交換の不便を解消しました。やがて、金や銀のような貴重な金属がお金の役割を担うようになります。しかし、経済が拡大し、取引が多様化すると、重い金属を持ち運ぶのは非効率的でした。そこで「両替商」が金貨を預かり、軽くて取り扱いやすい紙の「預り証」を交付しました。これが紙幣の誕生です。

その後、両替商が集まり銀行となります。ジャーナリストの池上彰氏によれば、[4]悪質な銀行は、金があるように見せかけ紙幣を発行すれば、いくらでも発行できることを考えます。しかし、これは問題であるため、紙幣を発行できる唯一の銀行として中央銀行ができました。ちなみに、世界で最古の中央銀行は、1668年に設立されたスウェーデンのリクスバンクです。[5]

当時、紙幣は金に換えられる保証がある金本位制度の下にありました。しかし、1971年のニクソン・ショックをきっかけに、この制度は終わりを告げました。その結果、世界の主要国は通貨価値が市場の力で自由に変動する変動相場制へと移行し、国家ごとに経済の実情に合わせた通貨発行が可能となったのです。現代ではキャッシュレスが進み、紙幣を手にすることなく、スマートフォンやコンピュータの画面上で数字がお金として動きます。金本位制の終わりから、お金の概念は大きく変貌を遂げたのでした。

新自由主義が進む現代では、企業も個人も、画面上の数字を増やすことに尽力し、利益の最大化を追い求めています。また、株取引や先物取引、外国為替証拠金取引などは、ときに、「マネーゲーム」とも呼ばれ、まるでスコアが高いほうが勝者であるテレビゲームのようでもあります。こうした状況に、蓼沼宏一教授は、「現代の経済システムは、長い歴史を経てあまりに巨大化・複雑化した上に、そのシステムの仕組みの複雑さ自体を利用して目先の利益を得ようとする主体が増えたため、その本来の目的が見失われがちです」と述べています。

スウェーデンを例にとっても、福祉の全盛期を築いたパルメ首相は、福祉国家の基盤である「社会政策」に力を注いでいました。しかし、現代では、社会政策より経済政策が重視され、福祉の低下、貧富の格差の拡大が見られます。パルメ首相が理想としていたのは、人々の幸福を導く社会政策が充実し、誰もが平等に暮らせる福祉国家でした。経済という名のもとで一部の人々の利益が追求され、貧富の格差が広がる社会ではないはずです。また、本来の経済が意味する、「人々をより幸せにするための社会システム」とも異なってきています。

現在、世界中で貧富の格差が拡大し、福祉水準も低下しているため、新自由主義が批判されることが増えています。一方で、経済の根幹となる銀行や金融制度についての議論は、それほど盛んではありません。また、銀行がどのようにお金をつくり出すかも意外と知られていません。実は、お金がつくられる方法は、一般的なイメージとは大きく異なっています。それでは、私たちの生活や、幸せにもつながり、経済の基礎となる「お金」は、一体どのようにつくられるのでしょうか?

2 金融システムと貨幣が幻想を生む

お金はどのようにつくられ、私たちの社会にどんな影響を与えているのでしょうか。

このトピックは北欧に関する直接の話題ではありませんが、幸福に大きな影響を与える経済と金融制度の理解は不可欠ですので、ここで詳しく見ていきます。

多くの人は、政府や中央銀行が新しいお金を「発行」していると考えていないでしょうか?

確かに、日本では、紙幣は日銀が、硬貨は政府が発行しています。しかし、実際には、流通しているお金のほとんどは民間銀行による「信用創造」を通じてつくられています。

信用創造とは、私たちが銀行から融資を受けた際、銀行が新たなお金を、「無」から生み出すプロセスのことです。あまり知られてはいませんが、実は、銀行は現在あるお金を貸しているわけではなく、個人や企業が銀行から借り入れすることで新たにお金をつくり出し、私たちに貸し出しています。言い換えれば、今、私たちが目にしているお金のほとんどは、誰かしらの借金から生まれたものです。そのため、もし仮に全ての借金が返済されれば、理論的には世の中に出回るお金は全て消えることになるのです。[6]

経済産業省の中野剛志氏によると、[7] 銀行はお金を貸すことによって、お金を生み出しており、信用創造により生まれた預金通貨が、全貨幣量の8割以上を占めているといいます。ノーベル経済学賞を受賞した経済学者のミルトン・フリードマン氏やジェームス・トービン氏も、「民間銀行の預金（新たなお金）は銀行家のペンで承認されたときにつくられる」と述べています。[8] また、これを「万年筆マネー」と呼ぶ経済学者もいます。[9]

イングランド銀行の信用創造の説明でも、[10]「現代経済においては、大部分のお金は銀行預金であり、銀行が融資すると、同時に借り手の口座に新しいお金がつくられる」と説明しています。さらに、日銀出身の横山昭雄氏も著書『真説 経済・金融の仕組み』の中で、[11]「信用創造、預金受けなる特別の機能を与えられている銀行は『確かに特殊である』」と述べています。

ただ、信用創造によって生み出されるお金にはもちろん、「利子・利息」が伴います。この利子を返済するため、借り入れをした人々は、より多く働く必要があります。その結果、経済は発展を遂げてきました。そのため、金利は、「経済発展の原動力」とも呼ばれています。[12]

しかし実は、当たり前のように返済に加える利子は欧米などの金融機関だけであり、イスラム教の教義をベースにした「イスラム金融」では、利子の取得や投機取引が禁止されています。そのため、イスラム金融では基本的に、無利子の金融取引が構築されています。[13]

私の前著『スウェーデン 福祉大国の深層』では、[14] その利子制度の矛盾を指摘しています。ここでその詳細には触れませんが、簡単に言えば、世の中にもともと存在しない利子を、借り手が元金と共に支払うのは論理的に不可能です。このため、新たな借り入れによって、新たにお金が市場に供給されることで、その分の利子が支払われています。しかし、このシステムは、利子を返済するためにはさらに新しい借金が必要になるという、「借金の連鎖」を生むことになります。そして、このシステムの特性上、この連鎖が止まるとシステム自体が破綻するため、常に新しい借金を生み続ける必要があるのです。そこで、新たな借金を生むために、経済が成長し続けていくことがとても重要となります。

ちなみに、先の『スウェーデン 福祉大国の深層』では、経済システム下の国際金融システムについても記しました。現在の経済システム下の国際金融システム、特にＢＩＳ（国際決済銀行）、ＩＭＦ、世界銀行は、「株式制度」に基づいて運営されています。これらの機関における各国の出資額や株式保有率は、その国の経済規模（ＧＤＰ）を反映しています。つまり、ＧＤＰや株式保有率が高い国は、より国際的に大きな権限と影響力が持てます。そのため、現在の経済システムでは国際的な影響力を増すためにも、経済成長がとても重要なのです。

話を利子に戻しますが、さらに、金本位制が廃止され、信用創造によってお金が生み出される現代では、金によるお金の発行の制限がなくなりました。その結果、企業や個人が借り入れを増やせば増やすほど経済は活性化します。これと同時に人々は返済のためにこれまで以上に一生懸命働く必要があり、返済できなければさらに利子が増えるという過重な借金負担に直面します。

また、存在しない利子を返済することは不可能であるため、最終的に、どこかで破産する人が出ることは避けられません。この一方で、貸し手は何もせずとも金利で利益を増やし続けることができます。これを現代社会で、「投資」や「資産運用」と呼んでいます。

さらに、現代では民間銀行が信用創造で生成するお金は経済の多くを占めており、その利益は株主に配当として還元されます。しかし、一般市民へ還元されることはありません。このような信用創造と利子制度の下では、富裕層がさらに富を築き、貧困層はより一層困窮し、格差が拡大するのは必然なのです。

この問題は国内に限らず、国際的な問題としても現れています。2020年の日経新聞によると[15]、中国の「一帯一路」構想では発展途上国への高利貸し（利子率3・5％）が拡大し、融資により債務国の政策や外交に圧力をかける「債務のワナ」があると報じています。一方、G7諸国も中国の影響に対抗するため、途上国の気候変動対策や公衆衛生の改善、ジェンダー平等、デジタルインフラの発展のために、2027年までに総額6000億ドル（約90兆円）の投資を計画しています[16]。

ただ、もちろん、中国でもG7諸国でも、投資には利息が発生します。これにより、債権国は返済と共に富を蓄積しますが、債務国は借金の重荷により、働いても経済的に豊かになれません。この構造が「グローバルサウス」と呼ばれる問題を引き起こしています。

グローバルサウスとは[17]、南半球に多いアジアやアフリカの新興国・途上国を指し、富裕な北半球「グローバルノース」と比較されます。世界銀行の2020年のデータによれば[18]、極度の貧困にある子どもの約3分の2は、サハラ以南のアフリカに、約5分の1は南アジアにいます。

このような現状の解決に向け、国連は2030年までに、[19]世界から極度の貧困を根絶することを、持続可能な開発目標（SDGs）の1つとして掲げています。

しかし、経済思想家の斎藤幸平氏の著書『人新世の「資本論」』では、[20]先進国の繁栄がグローバルサウスからの資源収奪に依存していると記述されています。その結果、先進国は豊かさを享受する一方で、グローバルサウスの国々の生活は悪化し続けています。また、斎藤氏は、このような不均衡が資本主義の基本であり、収奪がなければ先進国の現在の生活水準は保てないと指摘しています。

実際に、開発途上国という用語が使われ始めてから半世紀が経過した現在でも、依然として8億人が極度の貧困に苦しんでいます。[21]この事実は、利子制度が豊かな者をより豊かにし、貧しい者を貧しさに留めるという深刻な欠陥を露呈しており、その結果、貧富の格差が解消されることはいまだにないのです。

こうした世界にいる貧困にあえぐ人たちを救うには、まず1人ひとりが今のシステムの本質を知ることから始めなければいけないのかもしれません。

3 新自由主義による格差拡大が子どもを貧困に

これまでに記した、「新自由主義」という言葉は、私たちにあまり縁のないものであるかもしれません。しかし、新自由主義を進めた「トリクルダウン理論」と呼ばれる経済理論は、実際に、私たちの日々の生活に大きな影響を与えています。この理論は、裕福な層がさらに富を増やすことで、経済全体が活性化し、最終的にその恩恵が社会の隅々にまで滴り落ちるという考えです。[22]この理論に基づき、多くの国では高所得者と法人への税率が引き下げられ、消費税を引き上げる政策が採用されました。

日本では所得税の最高税率は、1970年代から1980年代の75%から、2000年代には37%にまで引き下げられました。アメリカでも、1980年代にレーガン大統領による富裕層への大規模減税が行われ、[23]2018年のトランプ大統領の税制改革では、最も富裕な400人の税率が、下位半分の平均を下回る水準になりました。[24]

スウェーデンでも、2004年に相続税、[25]2007年に富裕税、[26]そして、2019年に高所得者税の5%が相次いで廃止されました。こうした新自由主義的な経済政策を取り入れ始めてからスウェーデンの経済は強くなり、[27]2022年の1人あたりのGDPはOECD内で10位と、ドイツの16位、日本の21位を上回っています。[28]

一方で、2017年のOECD調査によると、[29]スウェーデンのジニ係数の増加率がほかのOECD諸国よりも高くなり、北欧では最も富の不平等が進んでいることも明らかになりました。2023年のスイスのUBS銀行の調査結果によれば、[30]スウェーデンのジニ係数は87・4で、ブラジル（88・4）に次ぐ高さです。これはアメリカ（83・0）、インド（82・5）を上回り、デンマーク（73・6）、フィンランド（72・4）、中国（70・9）、日本（65・0）よりも大きな値です。

また、同国の最も裕福な1%が保有する富の割合は35・8%で、これはブラジル（48・3%）、インド（40・4%）よりは低いものの、アメリカ（34・2%）や中国（31・4%）、フィンランド（25・5%）、デンマーク（23・4%）、日本（18・9%）よりも高い値です。この経済格差は、ストックホルムの島々に立ち並ぶ豪邸と、次に示す借金で苦しむ家庭と間の格差からも浮き彫りとなっています。

2022年のSVTによると、[31] 南部のペルストルプ市に住むケネスさんは借金返済で生活が苦しく娘にメガネが買えず、娘に食事を与えるために、数日間食事を取らないときもあると話しています。市の報告によると、ケネスさんの事例は稀ではなく、約5人に1人の子どもが借金を抱える家庭で育っているため、学校では貧困の家庭への対応を行っています。

こうした格差はスウェーデンだけではなく世界中でみられ、アメリカも同様であり、経済成長しているにもかかわらず、1970年代から貧富の格差が拡大し続けています。こうした状況下、2021年、バイデン大統領は議会での初演説で、「トリクルダウン理論は一度も効果がなかった」と指摘し、従来のトップダウンではなく、ボトムアップのアプローチを強調しました。このように、近年では新自由主義による格差の問題が明確に指摘されています。

これを示すものとして、経済学者トマ・ピケティ氏の著書『21世紀の資本』によれば、[32] 第2次世界大戦後から1970年代初頭にかけて、上位1%と10%層の所得割合は減少傾向でした。しかし、1971年の変動相場制の導入を経て、1980年代の新自由主義政策の広まりとともに、この所得割合は再び増加し始めました。そして現在、所得格差は第2次世界大戦前の水準にまでは達していないものの、その水準に向かい高まる傾向となっています。

また、2023年の国際NGOオックスファムによる研究では[33]、過去10年間で最も裕福な1%の人々が新しく生まれた富の半分を所有していましたが、2020年以降はその割合が約3分の2にまで増え、残りの99%の人々の持つ富の約2倍にまで達しています。そして、近年、新自由主義の広まり以降、貧富の格差が急速に拡大していると指摘しています。

このような経済的不平等は、特に子どもたちに深刻な影響を及ぼしています。ユニセフによると[34]、現在、世界中で3億3300万人以上の子どもが、日々2・15ドル（約323円）未満で生活し、極度の貧困で苦しんでいます。サハラ以南のアフリカでは、予防可能な病気により、2021年だけで約338万人の5歳未満の子どもが命を落としました。世界の経済成長は伸びていますが一方で、貧富の格差はさらに広がっており、その影響を最も受けているのは貧困国の子どもたちなのです。

さらに、こうした現在の経済システムは、貧富の格差を拡大するだけでなく、さまざまな社会問題をも生み出しています。

4 現代経済システムの持続不可能な成長

日本の財政赤字は世界的に見ても突出しており、その持続可能性には多くの疑問が投げかけられています。2022年のデータによると[35]、日本の債務残高はGDPの2・6倍にも達し、国際的に非常に高い水準です。この状況は、公共サービスや社会保障への持続的な需要が増大するなかで、国債の大量発行によるもので、現在の経済システムの深い問題点を示しています。

2022年における、日本の累積債務は1043兆円に達しています。2023年度の予算では、この膨大な債務に対する利息と返済に、予算の約22％（約25兆円）が割り当てられ、新たな国債が約35・6兆円発行されました。[36]これは、国が借金を返すために新たな国債を発行し続けるという、借金のスパイラルに陥り、借金が膨れ上がることを示しています。

このように利子制度下では、国も債務者として借金の返済に追われ続けてしまいます。そして、国は借金のGDP比率を表面上低く保つためにも、経済成長していくことが重要となります。ですが、もし仮に利息が発生しない、あるいは国に還元されるシステムであればどうでしょうか？もしそれが可能なら、その分の資金を育児や教育、高齢社会対策などの社会サービスの予算に回せ、国民の生活の質を向上できるはずなのです。

ただ、こうした政府債務がある国は、特に日本に限った話ではありません。

2022年に、フィンランドの政府債務は1948億ユーロ（約31兆7520億円）に達し、債務は年々増加しています。[37]また、フィンランド政府歳出の約3・6％が利息返済に充てられています。[38]

財政的に健全だと評価されることの多いスウェーデンでさえ、2022年には約1兆930億クローナ（約15兆8485億円）の政府債務があり、[39]歳出の約2％が利息の返済に充てられています。[40]実際に、IMFのデータによれば、[41]政府債務を抱えていない国は世界に1つも存在していないのです。

さらに、経済産業省の令和4（2022）年版、通商白書には[42]、2008年から2021年にかけて、世界の政府債務が1・6倍増加したと記されています。こうした利子を伴う現行の経済システムでは、日本だけでなく、世界のどの国でも、借金の返済のため新たな国債を発行する、終わらない借金のスパイラルを続けていています。

ちなみに、2023年のフォーブス時価総額トップ10企業ランキングに名を連ねるアップルやマイクロソフトをはじめとした世界の多くの大企業も、100億ドルから1400億ドル（約1兆5000億円から約21兆円）という巨額の負債を抱えており、これら多くの企業の債務は年々増加する傾向にあります[43]。

新自由主義はこれに拍車をかけました。財務省の統計によれば[44]、日本では、1970年代の国債の発行量は比較的抑えられていました。しかし、1980年代に、新自由主義的な経済政策が導入されて以降、市場の自由化や規制緩和が促進され、バブル経済が形成されました。バブル崩壊後に、国は経済の活性化のため大量の国債を発行し、それが財政赤字の拡大につながったのでした。

これにより財政難に直面した政府は、福祉予算を削減し、社会保障制度の見直しを行いました。そのため、公共サービスの民営化や効率化が進み、これまで以上に民間の役割が重要視されるようになったのです。その結果、国民が期待する社会保障や福祉サービスと、提供されるサービスとの間に隔たりが生まれる要因にもなったのでした。

同様にスウェーデンでも、新自由主義的な経済政策を導入した1990年以降に、こうした福祉の低下が見られるようになりました。さらに、フィンランドでも、1980年の福祉をピークに、同様な経済政策の導入以降、徐々に低下が起きています。現在も、SOTE改革が財政上の問題を背景に実施されていますが、今後、コスト削減により民間委託が拡大する可能性もあり、福祉の低下が懸念されます。こうした現行の経済システムは、「福祉の低下」をもたらす一因にもなっているのです。

現在の経済システムは、「環境破壊」にも大きな影響を及ぼします。現在の金融制度では、お金は主に借金から生まれています。その借金の返済のため、新しい商品の生産と消費が絶えず促されています。この傾向は、新自由主義でさらに加速され、企業の際限のない利益追求により、生産と消費が推し進められ、結果として地球資源の急速な枯渇や環境破壊を促してしまうのです。[45]

その一例として、タイム誌による2022年の世界で最も影響力のある100人の1人、ブラジルの先住民族リーダー、ソニア・グァジャジャラさんは、[46]元ボルソナロ政権の経済優先政策がアマゾンの森林破壊を招き、2021年だけで1万平方キロの森林が失われたと述べています。これはニューヨーク市の13倍以上に相当します。[47]

さらに彼女は、[48]農業ビジネスが環境破壊の背後にあり、世界の主要な銀行や企業がその利益を享受していると指摘しています。このように近年、行き過ぎた経済活動による環境破壊が浮き彫りとなっています。

一方で、こうした環境破壊を減らすためにも、温暖化対策としてリサイクルの重要性が高まっています。国立環境研究所によると、[49]適切にリサイクルすれば温室効果ガスの排出を減らせ、温暖化対策に貢献できるといいます。そうしたなか、2018年の日本のリサイクル率は84％と、世界的でも高い数字であります。

しかし他方で、日本のプラスチックのゴミの7割は焼却されている実情もあります。[50] リサイクルが進んでいるとされるスウェーデンでも、2023年のSVTによれば[51]、プラスチック廃棄物の3分の1が、海外の再処理施設へ輸送され、残りの3分の2が国内で焼却されています。環境保護庁のオーサ・ステンマーク氏は[52]、過去7年間でプラスチックごみが増加し続けており、プラスチックの焼却は気候変動の原因になっていると指摘しています。

現在、各国でリサイクルが進んではきていますが、地球規模でのCO_2排出量は依然として高く、その問題は深刻です。実際に、コロナ禍での経済活動の縮小により、2020年の化石燃料からのCO_2排出量は5・4％減少しましたが、コロナ禍が終結した2022年には、過去最大となる368億トンのCO_2が排出されています。[53] 国際エネルギー機関（IEA）によると[54]、気温上昇を1・5度に抑えるために、2030年までに世界の化石燃料の需要を25％削減する必要があります。しかし、CO_2排出量がいまだに増加しているのが現状です。

経済思想家の斎藤幸平氏によれば[55]、政治家が化石エネルギーへの課税や投資撤退におよび腰であり、富裕層を優遇する新自由主義的政策を実施していると指摘しています。また、温室効果ガスの排出には規制と課税が必要ですが、現在のグローバル化したシステムでは、企業による自発的な改革は期待できないとも述べています。

このように、現在、私たちが当たり前のように受け入れている経済システムは、知らず知らずのうちに私たちの幸せにとって大切な福祉の低下をまねき、さらに、かけがえのない空気や水、そして子どもたちが遊ぶ大地を蝕み、地球環境の破壊を拡大しています。これは、この経済システムを導入する全ての国々で起きています。

そして、今、地球規模で進む環境破壊の根底には、国家の政策以上に、実は、私たちに身近な経済システムの基本構造の特性による影響が非常に大きいのです。

5 軍需産業と紛争の長期拡大化

２０２２年2月から続くロシアによるウクライナ侵攻は、今もなお終息しておらず、全世界に深刻な影響を与えています。さらに、２０２３年の10月には、宗教と土地を巡る複雑な歴史を持つパレスチナとイスラエルの間で新たな衝突が発生し、多くの犠牲者が出続けています。戦争にはさまざまな原因がありますが、そのなかでも軍需産業が戦争に与える影響は無視できません。当然のことですが、武器がなければ戦争は成り立たず、戦争があることで軍需産業は存在しています。それにより軍需産業は利益を上げることができ、また同時に、経済活動を刺激する要因ともなっています。

実際に、歴史的に見ても、戦争は常に大規模な生産と消費を引き起こしてきました。たとえば、戦後の日本は朝鮮戦争によるアメリカの軍需需要を背景に、工業生産を急増させ、経済を活性化させました。これは「神武景気」として知られ、その後の高度経済成長へとつながりました。[56]

このように戦争はビジネスを拡大させ景気を刺激する要因ともなります。さらに、現代の新自由主義下の経済システムでは、利益が最優先され、これが軍需産業の収益増加と共に、戦争の長期化と被害の拡大を促しています。

この動向に関して、カナダのカールトン大学の政治学者、アーロン・エッティンガー准教授は、[57] 新自由主義と市場の原則が民間軍事企業の拡大を促し、軍需産業に利益追求のための活発な環境を提供したと述べています。実際に、トランプ政権下の政治軍事局補佐官、Ｒ・クラーク・クーパー氏によると、武器売却は防衛産業と労働者にとって大きな支援をもたらし、１００万人の労働者に安定した雇用を提供し、同盟国にも利益をもたらしています。彼はさらに、防衛企業とその社員がアメリカの起業家精神とイノベーションを象徴し、米国が防衛・航空宇宙分野で世界のリーダーであり、軍事的優位性を維持する上で重要な役割を果たしていると述べています。

同様に、英国のブラッドフォード大学のパウロ・ロジャー教授も、[58] 戦争は軍需産業に大きな利益をもたらす傾向があると述べています。特に、無期限に続くような戦争の場合、軍需企業は武器供給によって利益を得る可能性が高く、アフガニスタンやイラクのような長期戦争は、とりわけ武器産業にとって収益性が高いとされています。現在進行中のウクライナの戦争では、米国は46億ドル（約６９００億円）、英国は７億５０００万ポンド（約１４３３億円）、ＥＵは20億ユーロ（約３２６０億円）相当の軍事装備をウクライナに継続的に提供し、ＮＡＴＯ諸国全体で80億ドル（約１兆２０００億円）以上が提供されています。[59] ロジャー教授は、このウクライナ戦争でＮＡＴ

0から継続的に提供される武器供給が、軍需企業が利益を上げる機会となっていると指摘しています。

さらに、米国のスカイニュースの報道によれば[60]、ウクライナ侵攻での軍事支出の増加が、西側の軍需企業に予期しない大きな利益をもたらしており、特にその恩恵を最も受けるのは米国の主要防衛企業で、英国のBAEシステムズ、フランスのタレス社、ドイツのダイナマイト・ノーベル社なども大きな利益があると述べています。

また、この状況を受けて、投資家たちは防衛産業からの利益を見込んだ株価投資を行いました。その結果、主要な防衛企業の株価は侵攻以降上昇しています。2023年11月の時点で、BAEシステムズの株価は86％増、タレスは64％増、米国のロッキード・マーティンは16％増となっています。また、スウェーデンのサーブ社の株価は176％も上昇しています。[61]

こうした武器ビジネスが繁栄している理由を、日本テレビ国際部の内山瑞貴氏は、その利益性にあると指摘しています。[62] さらに、このビジネスの繁栄は、大手防衛企業や下請け企業だけに留まらず、製鉄業や電子機器産業などほかの分野にも売上げ拡大をもたらしています。政治家たちも、軍事企業の武器販売や輸出を容易にすることで、地元雇用促進や市民の支持を得ており、政治献金も見込まれます。

しかし、このような状況がウクライナへの武器供給の増加を招き、民間人を含む多くの犠牲者を出すという深刻な側面もあります。内山氏は、武器を生産・輸出し続けることで軍需産業や大国が儲かる仕組みがなくならない限り、世界から紛争がなくなることはないと述べています。

多くの人が祈りを捧げる聖地エルサレムの「嘆きの壁」

　ここまで、現代の金融システムと新自由主義下の経済システムとその弊害を、歴史から振り返り見てきました。物々交換から始まり利子制度や信用創造、金本位制から変動為替相場制度への移行、そして、新自由主義の導入により、人々の欲望に対する制約が解除されました。これにより、経済成長が促進され、一部の人々に大きな利益をもたらしています。

　しかし一方で、世界の大多数の人々には恩恵が及ばず、貧富の格差の拡大や福祉の低下を招き、さらに、軍需利益から戦争の拡大と長期化により、多くの人々に悲劇がもたらされています。そうした戦争から逃れ、難民としてやって来た人々も新しい国での統合は難しく、治安悪化などの移民問題にもつながっています。

　これに環境破壊の問題も加わり、今後、もし温暖化対策が不十分であれば、２１００年までに地球の気温が３・３〜５・７度上昇すると予測されています。[63] このときまで、私たちが生きているかどうかはわかりませんが、私たちの子どもの世代に重い負担を残す可能性もあるのです。

現在、世界中でSDGsが掲げられている一方で、現行の経済システムは持続不可能であるため、数多くの問題が浮き彫りになってきています。世界で問題が多発する今、未来の子どもたちの幸福のためにも、多くの問題を生み出す根源について、深思するときにきているのではないでしょうか?

6 想いやりこそ成長への社会共通資本

これまで、現在の経済システムで引き起こされている問題、貧富の差の拡大、環境問題、戦争の増加などといった問題を述べてきました。しかし、未来が暗いということではありません。現在、徐々にですが既存の経済システムから、新しいシステムへの移行に向けた動きが広がりつつあります。そして、このような変化への動きのなかで、スティグリッツ委員会の活動が重要な役割を果たしたのでした。

これまで長い年月、GDPが国民の幸福や社会の進歩を十分に反映していないという批判がありました。そこで、これに対応するため、2008年にフランス大統領の発案でこの委員会は設立され、ノーベル賞経済学者ジョセフ・スティグリッツ教授を中心として、GDPに代わる新しい経済指標の開発がめざされました。そして、2009年に出された報告書では、以下の3つの主要な提案がなされました。[64]

1、多様な経済指標の提案　GDPを超えて、経済不平等や持続可能性も考慮した指標を用いて、経済の実態をより正確に把握する提案。

2、生活の質を測る新しい方法　収入や資産だけでなく、健康、教育、環境などを含む指標を用いて、人々の幸せを総合的に評価する提案。

3、持続可能な社会への指標　経済だけでなく、環境や社会の安定をも含めた持続可能性の指標の開発を提案。

この委員会の提案は、GDPを超えた新たな指標に関する国際的な議論を促進し、国連の持続可能な開発目標（SDGs）や国連幸福度調査にも影響を与えました。これにより、新しい経済指標への関心が世界的に高まったのです。そうしたなか、「サーキュラーエコノミー」という循環型経済システムや、新しい視点を提供する「ドーナツ経済」理論も注目されています。こうした理論を軸に、現在、持続可能な未来を築くための取り組みが世界中で進んできています。

ドーナツ経済理論について少し記しますと、[65]これは経済をドーナツの形にたとえて説明している理論です。この理論では、ドーナツの内側は基本的な生活必需品を、外側は環境への影響の限界を表しています。そして、経済活動は、環境の限界を超えず、生活必需品を確保する「ドーナツの範囲」内で行うべきとしています。

このアプローチは、GDPだけに焦点を当てた「成長する」経済ではなく、「繁栄する」経済をめざすべきという主張です。ここでいう繁栄とは、生活そのものがゆたかになることを指し、人々は尊厳を保ち、望むことを選び、信頼できるコミュニティと、地球の限られた資源の中で幸福に暮らせる社会をめざしています。そして、このような繁栄を達成する際、経済の成長は主な目標ではなく、人々の「幸福度が重視」されています。実際に、たくさんの収入を得ることよりも、人を助けたり、社会的に認められたり、コミュニティにかかわったり、興味あることを学んだりする方が、幸福度を高めるという研究もいくつか発表されています。[66]

このドーナツ経済理論の原則を実践する例として、オランダのアムステルダムがあげられます。同市は、世界で初めて循環型経済システム「サーキュラーエコノミー」の実現に向けた調査を開始し、2050年までに完全に実現することを目標としました。[67] また、2020年4月には、ドーナツ経済を取り組むことも発表し、循環型社会の構築がすでに進み出しています。

しかし、アムステルダムのような都市だけでなく、ビジネス界でも持続可能なアプローチが取り入れられています。たとえば、スウェーデンの家具店イケアは、[68] 循環型ビジネスへの移行をめざしています。ファッション小売店H&Mも、[69] 古着を再利用して新たな服をつくる取り組みを開始し、2030年までに、全ての製品を再利用可能かつリサイクル材料のみでつくることをめざしています。また、スウェーデンでは、都市の至るところに洋服用のリサイクルコンテナが設置されており、これにより古着のリサイクルが容易になっています。こうした持続可能な未来への取り組みは、グローバルな経済改革の動向を反映したものです。

2020年1月の経済フォーラムでは、世界経済フォーラムの創設者であるクラウス・シュワブ氏が、現在の経済システムが不平等や環境破壊、社会の分断を引き起こし、持続不可能であると指摘しました。[70] 彼は、「私たちが現在行っていることは、ある意味で次世代への裏切り行為です。なぜなら、私たちは負債を増やすことで問題解決をし、その代償を最終的に将来の世代に支払わせているからです」と述べました。加え、新しい経済的・社会的枠組みの構築が緊急課題であると強調し、新しい経済パラダイム、「グレート・リセット」を提唱したのでした。そして、GDPの成長にのみ焦点を当てる現行のシステムからの脱却を訴え、人々の幸福、健康、教育などの社会的ニーズに重点を置いた新しいシステムの必要性を強調したのです。

シュワブ氏が提唱するグレート・リセットに触発され、世界各国で新しい経済パラダイムへの移行が検討されています。実際に、日本政府を含む多くの国で、新しい指標がGDPの代替として検討されています。[71]

さらに、スコットランド、ニュージーランド、アイスランド、ウェールズ、フィンランド、カナダの6か国政府は、ウェルビーイング経済政府パートナーシップ（WEGO）を組織しました。[72] これらの国々は、GDPを超えて社会、健康、文化などへの経済の貢献を重視する新しい公共政策を共同で推進しています。このパートナーシップを通じて、各国は経済の役割を再考し、持続可能で人間中心の社会をめざしています。WEGOのメンバーであるフィンランドは、2030年までに社会的、経済的、生態学的に持続可能な社会に変革することを目標としました。加え、政府は、「経済は国民のためにあり、その逆ではない」との考えも明確にしています。[73]

また、WEGOの設立後、世界保健機関（WHO）も、2020年にGDPを超えるウェルビーイング経済への転換を提唱しました。[74] さらに、OECDも「エデュケーション2030」という新しいイニシアチブを通じてウェルビーイング重視の教育の重要性を強調し、持続可能な社会と全人類の繁栄への貢献をめざしています。[75] 近年、既存の経済システムから人々が幸せでゆたかに暮らせる新しいシステムへの移行が進行しているのです。

この新しいパラダイムの追求は、知の巨人とも呼ばれる経済学者、宇沢弘文氏の考えにも反映されています。彼の著書『社会的共通資本』では、[76]「ゆたかな社会」が示され、それは、人々がそれぞれの能力や才能を活かして、夢や情熱を追求できる仕事に就き、努力に応じた所得を得られ、その結果、幸せな家庭生活を持ち、さまざまな人とのかかわりや文化的な経験を楽しめる社会とされています。

このような社会を実現するために、『社会的共通資本』という考えを提唱しており、自然環境や道路、電気、ガスなどのインフラ、そして教育や医療の重要性を示しています。特に教育は、子どもたちが自分の資質を伸ばして、社会に貢献できる個性ゆたかな人間へ成長するために必要であり、医療も、病気やけがをしたときに、適切な治療が受けられることで人々の健康と生命を守るため、重要な役割であるとしています。そして、これらは人々が尊厳を持ち、自由に生きるための社会の基盤として不可欠であり、こうした社会的共通資本を国が管理し、市場の利益追求の対象としてはならないと記しています。このように、スティグリッツ教授の師であり、日本で最もノーベル経済学賞に近いと言われた宇沢氏は、社会的共通資本を保護し発展させることが「ゆたかな社会」につながると唱えています。

1970年代、スウェーデンの高い福祉を築き上げたオロフ・パルメ首相は、「想いやりがなければ、成長は意味を持たない」という言葉を残しました。[77] これは、社会におけるいかなる成長も、他人への思いやりがなく、個々の人々と社会全体の幸福や繁栄に繋がらなければ意味はなく、真の意味での成長とは言えないということです。

自分1人の今だけの利益でなく、人を想いやれ、未来の子どもたちが、末長く幸せでゆたかに暮らせる社会に向け、皆が共に考え続け、実現できる日が来ることを深く望んでいます。

資料・文献

○プロローグ

1 STUDIO GHIBLI『作品の舞台はどこですか？』
2 sky news『Ukraine war: Sweden strengthens military muscle in face of Russian aggression』18 May 2022
3 Swedish Armed Forces『Gotland air defence is reinforced』17 March 2021
4 SVT Nyheter『Militär upptrappning: ”Patruller i hamnar och på Visby flygplats”』13 januari 2022
SVT Nyheter『Försvarsministern: Vi måste utgå från våra egna intressen』15 januari 2022
5 SVT Nyheter『Försvaret: Flera ryska fartyg på väg att lämna Östersjön』17 januari 2022
Swedish Armed Forces『The reinforced armoured battalion in Gotland forged together in a new environment』21 January 2022
Swedish Armed Forces『Continued reinforced sea surveillance』2 February 2022
6 SVT Nyheter『Det här är NATO』
7 Swedish Armed Forces『Exercise in Gotland sharpens defence capability』9 December 2022
8 Swedish Armed Forces『Armed Forces Exercise AURORA 23 about to start』5 April 2023
Atlantic Council『A glimpse of Sweden in NATO: Gotland could be a game-changer for Baltic defense』April 26, 2023
9 Atlantic Council『A glimpse of Sweden in NATO: Gotland could be a game-changer for Baltic defense』April 26, 2023
10 SVT Nyheter『Demonstration i Göteborg mot militärövningen Aurora 23』22 april 2023
11 SVT Nyheter『Sveriges allierade samlas i Visby』13 oktober 2023
12 SVT Nyheter『Jättelikt brittiskt hangarfartyg har lagt till i Göteborg』13 oktober 202
13 SverigesRadio『How people on Gotland are noticing the increased military presence on the island』18 januari 2022
AFTONBLADET『Militären på Gotland – arbetar i det dolda』18.01.22
14 NHK『【詳しく】北欧フィンランド 隣国ロシアに脅かされて』2022年4月6日
15 NATO『Finland and Sweden submit applications to join NATO』18 May. 2022
16 Wilson Center『Finland's Contributions to NATO: Strengthening the Alliance's Nordic and Arctic Fronts』November 8, 2022
17 NATO『Finland joins NATO as 31st Ally』04 Apr. 2023
18 yle『Ari Joronen asuu 600 metrin päässä Venäjästä, ja nyt valtio kaatoi puut hänen mailtaan raja-aidan tieltä』21.3.2023
yle『Finland puts its new eastern border fence into service』14.9.2023
AP『NATO member Finland breaks ground on Russia border fence』April 15, 2023
19 yle『NATO eituo muutoksia rajavalvontaan – Suomen itäisimmässä pisteessä voi edelleen pistäytyä』6.4 2023
20 時事通信『フィンランド、「ロシアビジネス」大打撃　客足激減、遠のく「共存」―ウクライナ侵攻1年』2023年02月18日
21 FINLANDS BANK『Sota Ukrainassa heikentää Suomen talouskasvua ja nopeuttaa inflaatiota』11.3.2022
22 時事通信『フィンランド、「ロシアビジネス」大打撃　客足激減、遠のく「共存」―ウクライナ侵攻1年』2023年02月18日
23 KAUPPAPOLITIIKKA『Venäjän kokoinen aukko』26.09.2022

24 FINLANDS BANK『Russia's war in Ukraine is stifling Finland's economic recovery』21 June 2022
25 INTERNATIONAL MONETARY FUND『WORLD ECONOMIC OUTLOOK』2022 OCT
INTERNATIONAL MONETARY FUND『WORLD ECONOMIC OUTLOOK』2023 OCT
26 Statistics Finland『Inflation 8.3 per cent in October 2022, Consumer price index 2022, October』14/11/2022
INTERNATIONAL MONETARY FUND『WORLD ECONOMIC OUTLOOK』2023 OCT
27 2023年10月時点
28 ROUTERS『Why are Turkey and Hungary against Sweden joining NATO?』April 5, 2023
29 SVT Nyheter『Turkiet om svenskt NATOmedlemskap: Sverige måste göra mer mot terrorism』1 oktober 2023
30 NHK 国際ニュースナビ『【詳しく】NATO北欧２か国加盟へ なぜトルコは一転支持？』2022年７月４日
31 NHK『NATO加盟　北欧とトルコの駆け引き』2023年01月18日
32 西濵徹『トルコが急転直下でスウェーデンのNATO加盟支持へ』株式会社第一生命経済研究所 2023.07.11
33 The Guardian『Turkey summons Swedish ambassador over Erdoğan effigy』12 Jan 2023
34 NATO『Finland joins NATO as 31st Ally』04 Apr. 2023
35 The Guardian『Turkey condemns burning of Qur'an during far-right protest in Sweden』21 Jan 2023
36 REUTERS『スウェーデン「NATO加盟支持期待すべきでない」、トルコ大統領が非難』2023年1月23日
BBC『Erdogan tells Sweden not to expect NATO bid support』23 January 2023
37 SVT Nyheter『Försvarsminister Pål Jonson: Underlättar inte NATOmedlemskap』22 januari 2023
38 TBS NEWS DIG『スウェーデンで反トルコデモ"コーラン"燃やす トルコ側反発』2023年1月22日
39 SVT Nyheter『Polisen i Stockholm: Koranbränningar kommer i regel inte att tillåtas』16 februari 2023
40 SVT Nyheter『Kritik från yttrandefrihetsexperten: Sparsamt med demonstrationer om det här blir vägledande』9 FEBRUARI 2023
41 Polisen『Polismyndigheten överklagar förvaltningsrättens domar』06 april 2023
THE LOCAL『Swedish police appeal court ruling allowing Koran burning protests』7 April 2023
42 SVT Nyheter『Erdogan kritiserar Sverige för koranbränning』29 juni 2023
43 FINLEX『Rikoslaki　19.12.1889/39』
44 The Brussels Times『Koran burning and riots in Sweden – the day after』21 April 2022
45 Official Journal of the European Union『ACTS ADOPTED UNDER TITLE VI OF THE EU TREATY』28 November 2008
46 INSIDER『Turkey extracted a slew of concessions for letting Sweden join NATO, including coveted F-16 fighter jets from the US』Jul 11, 2023,
47 FINANCIAL TIMES『Turkey calls on Sweden to take more 'concrete measures' before joining NATO』October 1 2023
48 SVT Nyheter『Mats Knutson: Erdogan pressad – därför agerar han nu』24 oktober 2023
49 Svenska Dagbladet『Expert: "Impopulärt att godkänna Sverige"』2023-11-16
SVT Nyheter『Turkiet skjuter upp Sverigebeslut』16 november 2023

50 SVT Nyheter『Turkiet godkänner Sveriges Natoansökan』23 januari 2024
51 index『Orbán Viktor sakkjátszmája új szuper Gripeneket hozhat Magyarországnak』2024.02.19

○1章

1 SVT Nyheter『Jämställd snöröjning bra på många sätt』28 DECEMBER 2012
2 yle『Sukupuolten välinen tasa-arvo näkyy Ruotsissa lumiaurauksessakin』28.2.2015
3 Birgitta Andersson『Jämställd samhällsplanering』2012
NHKスペシャル「”男性目線”変えてみた 第２回 無意識の壁を打ち破れ」2023年４月30日
4 United Nations Development Programme『The role of men in achieving gender equalITy』NOVEMBER 28, 2022
5 SWEDISH GENDER EQUALITY AGENCY『GENDER EQUALITY POLICY IN SWEDEN』
6 NHK『医療費ダウン、街も明るく！“男性目線”変えたスウェーデン』2023年４月27日
7 Mobility Sweden『Pressmeddelanden nyregistreringar』1 augusti 2023
8 Sverige Radio『Banning sales of new gas-powered cars would be difficult, report says』1 juni 2021
9 The Guardian『World’s first electrified road for charging vehicles opens in Sweden』12 Apr 2018
10 Mälardalsrådet『Steg för steg i elektrifieringen av transporterna』17 mars 2023
NyTeknik『Sverige på väg att bli först med elvägar – ”Rullar ut ganska snabbt”』1 SEP 2021
11 Trafikverket『Jämställdhetsintegrering 2022 -2025 Regeringsuppdrag att utveckla arbetet med jämställdhetsintegrering』2021-08-11
12 UMEÅ KOMMUN『Vill inspirera män till att pendla mer hållbart』2023-05-11
13 UMEÅ KOMMUN『Hållbara och jämställda arbetsresor』
14 UMEÅ KOMMUN『Trettio år av jämställdhetsarbete i Umeå kommun』
15 BIZZ BUZZ『How 15-minute cities will improve people’s well-being across world』13 Mar 2023
16 Forbes『What is the one-minute city concept that Sweden is experimenting with?』Jul 31, 2021
17 Bloomberg『Make Way for the ‘One-Minute City’』January 5, 2021
18 BBC NEWS『スウェーデン初の女性首相、議会が再選出　即日辞任の5日後』2021年11月30日
日本経済新聞『北欧、相次ぐ女性首相　スウェーデンも仲間入り』2021年12月２日
19 UN WOMEN『Women in Politics: 2023』Situation on 1 January 2023
20 SCB『Fler män än kvinnor i nio av tio kommunfullmäktige』2022-06-21
21 内閣府男女共同参画局『平成23年版男女共同参画白書』
内閣府男女共同参画局『スウェーデンの女性の活躍推進に係る取組の特徴等』2022年12月02日
22 在ノルウェー日本国大使館『ノルウェーにおける男女平等政策』2010年４月
23 DEA『Gender Quotas Database　Country Overview』
24 HIR『Equal Representation? The Debate Over Gender Quotas (Part 1)』29.Nov.2021
25 Institute For Gender +The Economy『Quotas:Pros and Cons』October 26, 2017
26 東京新聞『「クオータ制」は導入すべき？　世界各国でも賛否「能力で選ぶべきだ」「画一的では政策立案が停滞」』2023年３月18日
27 Statista『Share of women in the Parliament of Sweden from 1991 to 2022』
INTER-PARLIAMENTARY UNION『Women in Parliament in 2006』
28 Sustainable Development Solutions Network『World Happiness Report 2012』-『World

Happiness Report 2024』
29 The Economist『The Economist's glass-ceiling index』Mar 6th 2023
30 JETRO『マリーン新内閣発足、女性が半数以上を占める（フィンランド）』2019年12月11日
ハアレツ「首相は34歳女性、閣僚の4人が35歳未満」のフィンランドから学べること』Courier 2020.3.31
31 内閣府男女共同参画局『平成23年版男女共同参画白書』
32 UN WOMEN『Women in Politics: 2023』Situation on 1 January 2023
33 石野裕子『物語 フィンランドの歴史 北欧先進国「バルト海の乙女」の800年』中央公論新社 2017年10月25日初版
武田龍夫『物語 北欧の歴史　モデル国家の生成』中央公論新社 2008年11月5日第10版
34 堀内都喜子『小さな国家がイノベーション大国になれた理由　幸福度世界一、フィンランドの歩みから学ぶ』RECRUIT 2020.03.23
35 ハアレツ「首相は34歳女性、閣僚の4人が35歳未満」のフィンランドから学べること』Courier 2020.3.31
36 Ministry of Social Affairs and Health, Finland『Act on Equality between Women and Men (609/1986; amendments up to 915/2016 included)』
37 内閣府男女共同参画局『北欧諸国における立法過程や予算策定過程等への男女共同参画視点の導入状況等に関する調査　報告書』平成23年11月
38 Iltalehti『Videot alkoivat levitä somessa: Sanna Marin juhlii ja tanssii villisti julkkisporukassa』17.8.2022
yle『Har vi en partypingla som statsminister? Medierna har skapat den bilden, säger medieforskaren Anu Koivunen』18.08.2022
AFP『フィンランド首相、「不適切」写真を謝罪 公邸で半裸女性2人がキス』2022年8月24日
東京新聞『フィンランド・マリン首相、薬物検査を実施「疑い晴らす」 新たなパーティー動画も流出』2022年8月20日
39 BBC NEWS JAPAN『フィンランド首相、「騒がしく」踊るパーティー動画が流出　野党が批判』2022年8月19日
BBC NEWS JAPAN『フィンランド首相が謝罪、公邸の客同士がトップレスで記念撮影』2022年8月24日
CNN『フィンランド首相をダンスで応援　世界各地から動画投稿』2022.08.23
40 HUFFPOST Chika Igaya『フィンランドが110年かけて実現した世界トップレベルの「男女平等」とは？』2017年08月08日
41 yle『Yles partimätning visar att SDP:s väljare stannar kvar efter Sanna Marins fester – Samlingspartiet leder ändå ohotat』08.09.2022
42 WORLD ECONOMIC FORUM『Global Gender Gap Report 2023』
43 HUFFPOST Chika Igaya『フィンランドが110年かけて実現した世界トップレベルの「男女平等」とは？』2017年08月08日
44 SVT Nyheter『Forskning: Män och kvinnor mer olika i jämställda länder』18 AUGUSTI 2021
45 Science『Relationship of gender differences in preferences to economic development and gender equality』19 Oct 2018
National Library of Medicine『Sex differences in personality are larger in gender equal countries: Replicating and extending a surprising finding』
46 IEEE『India has Largest Percentage of Female STEM Graduates in Higher Education』
47 A business journal from the Wharton School of the University of Pennsylvania『Stubborn

Obstacles: What's Hindering Female Engineers?』November 16, 2010
48 Women 2030『Saudi female engineers power up the modern Kingdom developments』27 March 2018
49 WORLD ECONOMIC FORUM『Global Gender Gap Report 2023』
50 公益財団法人　未来工学研究所『理工系分野における女性活躍の推進を目的とした関係国の社会制度・人材育成等に関する比較・分析調査報告書』平成28年12月
51 WORLD ECONOMIC FORUM『Global Gender Gap Report 2023』
52 The Journal『'A gender equality paradox': Countries with more gender equality have fewer female STEM grads』Feb 18th 2018
53 公益財団法人　未来工学研究所『理工系分野における女性活躍の推進を目的とした関係国の社会制度・人材育成等に関する比較・分析調査報告書』平成28年12月
54 SCB『Shortage of engineers despite increased engineering education』2013-03-11
55 Stockholm Pride『Stockholm Pride 25 Years』2023
56 AFTONBLADET『Vanja, 73, arrangerade Sveriges första prideparad』2021-08-06
Stockholm: European Civil Society Press, Magnus Wennerhag『Civilsamhället i det transnationella rummet:Pride anländer till Sverige: En resa itvå etapper.』2017
57 STOCKHOLM PRIDE『Festivalen』2023
58 Visit Sweden『Stockholm under the rainbow』06 April 2023
59 Forbes Japan『LGBT旅行者に友好的な国　首位はスウェーデン、米国は振るわず』2019.11.30
60 GNV Mayuko Hanafusa『北極圏の先住民族サーミ：脅かされるその生活』2020年10月8日
61 アマンダ・シェーネル「サーミの血」2016
62 小内透『ノルウェーとスウェーデンのサーミの現状』北海道大学大学院教育学研究院教育社会学研究室 2013
63 澤野由紀子・小川早百合『スウェーデンにおける難民・移民の子どもに対する言語教育の現状と課題』聖心女子大学 2020-12
64 独立行政法人 高齢・障害・求職者雇用支援機構 NIVR 障害者職業総合センター『諸外国における障害者雇用施策の現状と課題』2008年4月
福島淑彦『スウェーデンの障害者労働市場』「北ヨーロッパ研究」15巻 2019年
65 障害者.com『サムハル（Samhall）スウェーデンの障害者雇用に対する考え方』2020.01.24
66 福島淑彦『サムハル（Samhall）スウェーデンにおける保護雇用の取り組み』独立行政法人 労働政策研究・研修機構 2011年4月

○2章

1 Försäkringskassan『Parental benefits』
2 Harvard University　Simon Hedlin『Why Swedish Men Take So Much Paternity Leave』July 2014
3 Kela『Family leave reform 2022』20/1/2023
4 European Commission『Sweden - Parental benefits and benefits related to childbirth』
5 厚生労働省 都道府県労働局雇用環境・均等部（室）『育児・介護休業法 改正ポイントのご案内 令和4年4月1日から3段階で施行』令和4年12月改訂
6 厚生労働省 雇用環境・均等局　職業生活両立課『育児・介護休業法の改正について』2022年11月18日更新
7 Kela『Maternity package』27/6/2023
8 Kela『History of the maternity grant』8/2/2023
鐙麻樹『フィンランド「ベビーボックス」2021年はこんな中身 赤ちゃんに国から届く贈り物』

The Asahi Shinbun GLOBE+ 2021.05.16
9 yle『Shrinkflation hits Finland's baby box』13.12.2022
yle『Finland's new baby box gets colour and content refresh』12.3.2021
10 SOSIAALI-JA TERVEYSMINISTERIO『Neuvolat』5.1.2023
髙橋睦子『フィンランドの出産・子どもネウボラ（子ども家族のための切れ目ない支援）』吉備国際大学 2019年03月26日
11 Terveyden ja jyvinvoinnin laitos『Kasvatus- ja perheneuvonta』18.10.2022
Terveyden ja jyvinvoinnin laitos『Lapsiperheiden kotipalvelu』7.6.2021
12 1177『Besök på barnmorskemottagningen』
13 RIKSHANDBOKEN BARNHÄLSOVÅRD『Inbjudningar till BVC』
14 U.S.NEWS『Best Countries for Raising Kids』2021
U.S.NEWS『Best Countries for Raising Kids』2022
CEOWORLD Magazine『Revealed: The best (and worst) countries in the world for raising a child, 2020』January 15, 2020
15 Malmö stad『Om Kanini』16 mars 2022
16 innovative『Case Study: Malmo City Library (Sweden) – Giving Children a Voice』January 31, 2017
17 Kulturhuset Stadsteatern『Bibliotek Rum för Barn』
gothenburg『Gothenburg City Library』
18 HAGS『Why choose HAGS Wooden Playgrounds?』
株式会社アネビー『HAGSについて』
19 IKEA『IKEA Småland』
20 VR『Travelling with children』
21 HSL『Prams』
22 Statistics Finland『Employment continued to grow in February』22 March 2022
statista『Employment rate in Finland from 2012 to 2022, by gender』Jan 31, 2023
23 Statistics Finland『Mothers return to the labour market from family leaves more quickly than before』14 November 2019
24 内閣府男女共同参画局『女性就業率の推移』
25 内閣府男女共同参画局『正規雇用労働者と非正規雇用労働者数の推移（男女別）』
26 Finland Abroad『フィンランドの子育て支援』
27 HELSINGIN KAUPUNKI『LASTEN VARHAISKASVATUKSESTA PERIT TÄVÄT MAKSUT 1.3.2023 LÄHTIEN』24.2.2023
28 infoFinland.fi『Early childhood education』28.11.2022
Kela『The parental allowance system was reformed』
Finland Abroad『フィンランドの子育て支援』
29 infoFinland.fi『Family leave』28.11.2022
30 Tyosuojelu.fi『Family leave』07.02.2023
31 UN data『Total fertility rate (live births per woman)』The 2022 Revision
32 United Nations『Family Day: Nordic fertility rates in steady decline』15/05/2023
33 Forbes Japan　井土 亜梨沙『最高レベルの子育て政策も無駄？ 急減するフィンランドの出生率』2019.10.19
日経xwoman『少子化対策「家庭内ジェンダー平等」必須／フィンランド』2023.04.25
YahooNews『「フィンランド1.32、ノルウェー1.41…」北欧の出生率激減』2023/06/03
34 Forbes Japan　井土 亜梨沙『最高レベルの子育て政策も無駄？ 急減するフィンランドの出生率』

2019.10.19
35 Göteborg Stad『Förskolans öppettider』
36 Friluftsframjandet『Skogsmulle i förskolan』
37 Friluftsframjandet『Skogsmulle fyller 65 år』
38 SLU『Naturvägledning för barn och unga』04 OKTOBER 2022
39 unesco『Inclusion in education』
教育新聞『インクルーシブ教育って何？基本情報と推進上の課題を徹底解説！』
40 Skolverket『CHILD CARE IN SWEDEN』
41 Lärarförbundet『Över 30 000 behöriga förskollärare saknas i Sverige』MAJ 02, 2022
42 FörskolanLärarlöner 2022: Så mycket tjänar förskollärare där du bor』6 apr 2022
SVT Nyheter『Stor brist på förskollärare – varannan saknar utbildning』12 MAJ 2022
43 Vi Lärare.『Ny rapport: Svag löneutveckling för svenska lärare』6 okt 2023
44 EXPRESSEN『Elin är ensam förskollärare på 26 barn: ”Omöjligt uppdrag”』01 nov 2022
45 Lärarförbundet『Över 30 000 behöriga förskollärare saknas i Sverige』MAJ 02, 2022
46 SVERIGES RIKSDAG『Utbildning för livslångt lärande,Förslag till riksdagsbeslut』Motion 2022/23:884
47 MINISTRY OF EDUCATION AND CULTURE『The Results of PISA 2000』
48 European Commision『Finland』31 May 2023
49 HUFFPOST Chika Igaya『フィンランド教育制度をキウル教育科学大臣が語る「学費無料、テストなし」で世界トップレベルの理由』2013年12月17日
50 文部科学省『我が国の義務教育制度の変遷』
51 gooddo『世界の教育の制度を比較し日本の教育について考えよう』2022年11月23日
52 Ministry of Education and Culture『Strategy for Lifelong　Guidance 2020–2023』
MINISTRY OF EDUCATION AND CULTURE『Extension of compulsory education』
Ministry of Education and Culture『Implementation of extended compulsory education: mon I T oring plan for 2021–2024』2021
53 Statistic Finland『Entrance to further studies by new passers of the matriculation examination was easier in 2020 than in the year before』9 December 2021
54 文部科学省 初等中等教育局 参事官（高等学校担当）付『高等学校教育の現状について』令和３年３月
55 TIETO&TRENDIT Mika WVting『Lukio, amis vai pelkkä peruskoulu? – Perusopetuksen jälkeisillä valinnoilla on usein kauaskantoiset vaikutukset』28.5.2021
56 yle『ValVseeko nuori opiskelupaikkansa Vse? Ei läheskään aina, sanovat tutkijat』26.4.2018
57 TIETO&TRENDV Mika WVting『Lukio, amis vai pelkkä peruskoulu? – Perusopetuksen jälkeisillä valinnoilla on usein kauaskantoiset vaikutukset』28.5.2021
58 FINNISH GOVERNMENT『Prime Minister Sanna Marin’s speech at the UN’s annual High-Level PolVical Forum on Sustainable Development (HLPF)』14.7.2020
59 Ministry of Education and Culture『Implementation of extended compulsory education: monVoring plan for 2021–2024』2021
60 Ministry of Education and Culture『Implementation of extended compulsory education: monVoring plan for 2021–2024』2021
61 Sustainable Development Solutions Network『World Happiness Report 2024』2024
62 日本 フィンランド大使館 東京『PISAの読解力が高いフィンランドの子どもは「生活満足度」も高いことが明らかに』4.12.2019
63 KAISA VUORINEN『Behind all this is researched knowledge and years of pioneering work

in Finland』2023
PosVive Learning Ltd『See the strengths See the Good!』2022
See the Good!『Riikka Aurinkolahden peruskoulu』2022
64 GLOBAL EDUCATION PARK FINLAND『WELLBEING AT SCHOOL』
Terve Oppiva Mieli ry『Healthy Learning Mind』
65 MaarV Lassander『QualVy of Life Research『Effects of school-based mindfulness intervention on health-related qualVy of life: moderating effect of gender, grade, and independent practice in cluster randomized controlled trial』2021
66 KiVa『What is KiVa?』
KiVa Antibullying Program『Tehdään se yhdessä!』
GLOBAL EDUCATION PARK FINLAND『WELLBEING AT SCHOOL』
67 Liikkuva Koulu『Schools on the move』
Liikkuva Koulu『Toiminnallisia vinkkejä eri oppiaineisiin』

○3章
1 Sustainable Development Solutions Network『World Happiness Report 2024』2024
2 Forbes ADVISOR『Worldwide Work-Life Balance Index 2023』Mar 2, 2023
3 渡辺清美『どうしてサイボウズは、働き方を変えられた？』東洋経済 2013年5月16日
4 Cybozu『ワークスタイル』
offixcos『ユニークな福利厚生制度「サイボウズの新・働き方宣言制度」』2021.11.13
5 Finlex『Vuosilomalaki』18 päivänä maaliskuuta 2005
Ministry of Economic Affairs and Employment of Finland『Annual holiday』
6 UNIONEN『Annual vacation』
WORK IN DENMARK『Holiday Allowance』
The Norwegian Tax Administration『Holiday pay』06 December 2021
Statistisches Bundesamt (Destatis)『Vacation ent Vlement』
République Française『Paid Leave』23 June 2023
厚生労働省『年次有給休暇取得促進特設サイト 年次有給休暇とは』
U.S. Department of Labor『Vacation Leave』
7 Ministry of Economic Affairs and Employment of Finland『Annual Holiday』MEAE brochures・3/2019
8 ジョセフ・E・スティグリッツ,アマティア・セン,ジャンポール・フィトゥシ,福島清彦（訳）『暮らしの質を測る 経済成長率を超える幸福度の指標の提案』金融財政事情研究会 平成24年4月20日初版
9 Swish『Swish stats』June 2023
SCB『Population statistics』2023-08-18
10 Swish『Swish årsresumé 2022』30 december 2022
11 経済産業省『2022年のキャッシュレス決済比率を算出しました』2023年4月6日
12 SVERIGES RIKSBANK『Payments Report 2022』
13 United Nations『E-Government Survey 2022』2022
14 Bank ID『Our history』
15 DIGG Agency for Digital Government『Mandatory e-invoicing in the public sector』23 May 2023
16 European Commission『Digital Economy and Society Index (DESI) 2022 Sweden』
17 Kanta『What are the Kanta Services?』20.4.2023

柏村祐『LIFE DESIGN REPORT　フィンランドが描く医療未来「Kanta」』第一生命経済研究所 2023.8
18 yle『Coding soon to be part of Finnish schoolchildren's core curriculum』20.2.2015
19 DIGG Agency for Digital Government『eID』22 May 2023
20 Digital and Population Data Services Agency『Digital and Population Data Services Agency (The Finnish Digital Agency)』
21 デジタル庁『河野デジタル大臣がフィンランド共和国、スウェーデン王国、エストニア共和国へ出張しました』2023年7月18日
22 NHK『最初の一手は「はんこをやめろ」』2020年10月7日
23 Official Journal of the European Union『REGULATION (EU) No 910/2014 OF THE EUROPEAN PARLIAMENT AND OF THE COUNCIL』23 July 2014
GMOグローバルサインカレッジ『EUのeIDAS規則から見えてくる電子契約のあり方』2019年05月07日
24 European Commission『Targeted consultation on the 2030 Digital Compass: The European way for the Digital Decade』12 November 2021
JETRO 日本貿易振興機構（ジェトロ）『欧州委（EU)、2030年までの官民のデジタル化目標提案』2021年03月12日
EU MAG『2030年までを「デジタルの10年」に～EUが実現するデジタルの未来～』Vol.82 (2021年春号) 2021年5月19日
25 IKEA『イケアについて』
26 MELLBY HOME『1,5-planshus 19428』
27 Naturvårdsverket『Allemansrätten』
28 公益財団法人 地球環境戦略研究機関『令和2年度開発援助調査研究業務「SDGs 推進に関する各国の実施体制及び方法の調査」調査報告書』令和3年3月
29 Yale University『Environmental Performance Index - 2016』Jan 23, 2016
30 Food and Agriculture Organization of the United Nations『Global Forest Resources Assessment 2015』2015
31 PUUINFO『Forests』31.7.2020
32 This is Finland『Tapping into Finnish lakes』January 2015
33 NHKスペシャル『超・進化論（1）「植物からのメッセージ ～地球を彩る驚異の世界～」』2022年11月6日
34 James D Blande　University of Eastern Finland『Assessing plant-to-plant communication and induced resistance in sagebrush using the sagebrush specialist Trirhabda pilosa』2020
35 公益財団法人 地球環境戦略研究機関『令和2年度開発援助調査研究業務「SDGs 推進に関する各国の実施体制及び方法の調査」調査報告書』令和3年3月
36 Finnish Government『"Finland has an excellent opportunity to rebuild itself in line with the principles of sustainable development"』
Ministry of the Environment『Government's climate policy: climate-neutral Finland by 2035』
37 yle『Maailman ensimmäinen vihreän vedyn tuotantolaitos avomerellä läpäisitestit – Suomeen on suunnitteilla tuotantoa Perämerelle』2023.12.01
38 Sustainable Development Solutions Network『World Happiness Report 2023』2023
39 Volkswagen『The Fun Theory』
40 Sustainable Japan『【スウェーデン】「楽しさ」が人々の行動を変える。フォルクスワーゲンが提唱する「ファン・セオリー」』2014/07/03

41 Coronakommissionen『Delbetänkande 1 – Äldreomsorgen under pandemin SOU 2020:80』 2020-12-15
BS『Corona Commission Report criticises Sweden's coronavirus response』Feb 26 2022
42 Freedom House『Countries and Territories』2023
FINLAND TOOLBOX『Country ranking – Political and civil freedom』11.8.2022
43 yle『Finland shuts down Uusimaa to fight coronavirus』25.3.2020
FINNISH GOVERNMENT『Prime Minister Sanna Marin's New Year's message, 31 December 2021』31.12.2021
UNIVERSITY OF TURKU『Managing and communicating corona strategy: A balancing act』 16.6.2021
44 Independent『Graph shows Sweden's coronavirus death toll rapidly increasing compared to other countries』17 April 2020

○4章

1 SCB『Life expectancy 1751–2022』2023-03-22
2 厚生労働省『令和４年簡易生命表の概況』
3 The National Institute of Public Health『Sweden's New Public-Health Policy』2003
Folkhälsomyndigheten『Towards a good and equitable health』2021
4 Stockholms stad『Strategi för idrottsanläggningar 2022-2026』2021-12-06
Sportfack『Adidas och Intersport inleder kampanj – ska öka idrottens tillgänglighet』8 augusti 2023
5 Riksidrottsförbundet『Strategi 2025』24 januari 2023
6 CEV EuroBeachVolley『EBV23 MEN Final Ranking』2023
7 statista『Share of population holding a health or fitness club membership in selected European countries in 2017』Dec 8, 2022
菊賀信雅『世界のフィットネスクラブの参加率と日本での参加者の現状！』プロフィットジャパン 2018年５月７日
8 SLU『Wellness allowance』05 MAY 2023
9 Amy Chan Hyung Kim『Sport and Happiness』2016
10 Amy Chan Hyung Kim『Jinmoo HeoSport Participation and Happiness Among Older Adults:A Mediating Role of Social Capital』23 July 2020
11 1177 Västra Götalandsregionen『Patientavgifter i Västra Götaland』2023-01-03
12 e-hälsomyndigheten『Raised limits in the high-cost reimbursement scheme on January 1st 2023』29 december 2022
13 Sveriges Kommuner och Regioner『Om vårdgaranti』20 mars 2023
SVERIGES RIKSDAG『Hälso- och sjukvårdslag (2017:30)』2017-02-09
14 Sveriges Kommuner och Regioner『Aktuellt vårdgarantiläge』Juni 2023
15 SverigeRadiao『Shortage of GPs around country expected to worsen』9 juni 2022
Statista『Percentage of adults worldwide who stated select issues were the biggest problems facing the healthcare system in their country as of 2022』Dec 13, 2022
16 SVT Nyheter『Vårdcentral polisanmäls av Västra Götalandsregionen』13 september 2023
17 Quora『Is the healthcare system in Sweden very bad? I heard a lot about the wait times, shortage of doctors and nurses, some mistakes/ignorance by the staff, non-availability of beds, etc. at hospitals.』
18 DAGENS Medicin『"Intelligent remittering är en oanvänd miljardbesparing"』2 juli 2019

19 Sveriges Kommuner och Regioner『Om vårdgaranti』20 mars 2023
SVERIGES RIKSDAG『Hälso- och sjukvårdslag (2017:30)』2017-02-09
20 Sveriges Kommuner och Regioner『Aktuellt vårdgarantiläge』Juni 2023
21 SverigeRadio『Swedish health care queues getting longer - despite efforts to cut them』15 juni, 2023
22 Skandia『Priser Vårdförsäkring』
23 Folksam『Sjukvårdsförsäkring』
24 総務省統計局 統計トピックスNo.138「統計からみた我が国の高齢者―「敬老の日」にちなんで―」令和5年9月17日
25 Finnish Institute for Health and Welfare『Ageing policy』27 Jun 2023
26 石井敏『特集：世界の高齢者住宅とケア政策 フィンランドにおける高齢者ケア政策と高齢者住宅』海外社会保障研究 Autumn 2008 No. 164
27 井口克郎・森山治『在宅介護者の健康権保障に向けた在宅介護制度構築への視座 ―フィンランドの親族介護支援法を参考に―』金沢大学人間社会研究域附属地域政策研究センター「地域政策研究年報」巻2017 2018.03.31
28 FINLEX『Laki omaishoidon tuesta,2.12.2005/937』01.01.2006
経済産業省『フィンランドの介護保険制度（ロボット介護機器開発・標準化事業に係る海外調査）』2020年3月31日
29 Terveyden ja hyvinvoinnin laitos『Omaishoito』13.3.2023
30 井口克郎・森山治『在宅介護者の健康権保障に向けた在宅介護制度構築への視座 ―フィンランドの親族介護支援法を参考に―』金沢大学人間社会研究域附属地域政策研究センター「地域政策研究年報」巻2017 2018.03.31
FINLEX『Laki omaishoidon tuesta,2.12.2005/937』01.01.2006
31 TERVEYDEN JA HYVINVOINNIN LAITOS『THL ehdottaa omaishoidon tuen myöntämisperusteiden yhtenäistämistä – ehdotus lisäisi omaishoitajien määrää ja tuen menoja』14.9.2022
32 朝日新聞『孤独死、40～50代が2割の衝撃　不安定な雇用影響か』2020年2月7日
33 United Nations『World Social Report 2023: Leaving No One Behind In An Ageing World』2023
34 SUPER『Lähihoitajan koulutus』
35 筒井孝子『介護人材における実践キャリアアップ制度構築のための基本的な考え方』実践キャリア・アップ制度 介護人材WG第2回委員会 12月20日
西下彰俊『フィンランドの高齢者ケア（前半）― その特色と課題―』東京経済大学現代法学会「現代法学」第23・24合併号 2013
36 Diak『Sairaanhoitajakoulutus (AMK) lähihoitajatutkinnon suorittaneille』
37 SuPER『TÖIHIN ULKOMAILLE』
38 ILTA-SANOMAT『Lähihoitajat kertovat, paljonko heille jää peruspalkasta käteen – "Ei paljoa naurata"』1.9.2021
39 齋藤香里『ヘルシンキ市における遠隔介護の現状』CUC View&Vision No.50 2020
40 Iltalehti『Verneri, 21, muutti palvelutaloon – Kertoo nyt päätöksensä koskettavat taustat』
yle『Sukupolvet sulassa sovussa』
41 NORDIC SWAN cruises『RISTEILYPAKETIT』
42 HELSINGIN VENETAKSI『MERITUHKAUKSET』
43 Hautaustoimistokajo『Merituhkaus』10. heinäk. 2021
44 Statistics Finland『Every fourth person is not a member of any religious community』1 October 2018

yle『Nearly 1.5 million in Finland do not profess any religion』1.10.2018
45 Statistics Finland『EPopulation and Society』23.2.2022
46 The Funeral Market『Funeral Customs Around the World Finland』3rd February 2022
47 Knowinsiders『Top 15 Countries with the Most Expensive Places To Die』June 07, 2023
いい葬儀『【第４回お葬式に関する全国調査】葬儀とその後にかかる費用のすべて（葬儀・飲食返礼品・お布施・香典・お墓・仏壇・遺言相続・遺品整理・空き家処分ほか）』2023.05.26
48 HELSINKITIMES『Funeral costs often amount to three thousand euro』08 FEBRUARY 2014
49 HELSINKITIMES『Funeral costs often amount to three thousand euro』08 FEBRUARY 2014
50 mtv UUTISET『Omainen voi luopua haudan hallintaoikeudesta tai menettää sen – hauta menee kiertoon』31.10.2015
51 City of Helsink『Funeral grant』
52 BBC NEWS『【図表で見る】 封鎖される世界　新型ウイルス対策に各地で行動制限』2020年４月９日
53 ABC NEWS『Sweden has avoided a COVID-19 lockdown so far: Has its strategy worked?』28, 2021
54 CNN『Sweden says its coronavirus approach has worked. The numbers suggest a different story』April 28, 2020
55 SVT Nyheter『Över 150 covid-sjuka har avlidit på Stockholms äldreboenden – ”Behövs nya skyddsrutiner”』7 april 2020
56 SVT Nyheter『Andelen äldre covidpatienter har minskat kraftigt』23 april 2020
57 USA TODAY NEWS『Swedish official Anders Tegnell says ‘herd immunity’ in Sweden might be a few weeks away』2020/04/28
58 Dagens Nyheter『DN Debatt. ”Flockimmunitet är en farlig och orealistisk coronastrategi”』2020-05-14
AFTONBLADET『22 forskare om flockimmunitet: Är en orealistisk strategi』2020-05-14
Göteborgs-Posten『Teorin om flockimmunitet av vaccinet stämde inte』5 sep, 2023
59 EXPRESSEN『Över 4 000 döda av corona i Sverige』25 maj 2020
60 Independent『Coronavirus tracked: Charting Sweden’s disastrous no-lockdown strategy』01 June 2020
SVT Nyheter『Den senaste veckan har Sverige högst coronadödstal per invånare』21 maj 2020
61 Delbetänkande av Coronakommissionen『Äldreomsorgen under pandemin』2020-12-15
62 SVT Nyheter『Kungen om pandemin: ”Jag anser att vi har misslyckats”』17 DECEMBER 2020
63 BBC NEWS『Coronavirus: Swedish King Carl XVI Gustaf says coronavirus approach ‘has failed’』17 December 2020
64 The Guardian『As Covid death toll soars ever higher, Sweden wonders who to blame』20 Dec 2020
65 The Local『KEY POINTS: The final verdict on Sweden’s Covid-19 response』25 Feb, 2022
The Guardian『Swedish PM Stefan Löfven resigns after losing confidence vote』28 Jun 2021
SVT Nyheter『Dagen då Stefan Löfven avgick som statsminister』10 november 2021
AFTONBLADET『Karin Tegmark Wisell blir chef för FHM』28/10/2021
Folkhälsomyndigheten『Anders Tegnell till internationellt vaccinuppdrag』9 mars 2022
66 SverigesRadio『Covid-19 no longer classified a ‘danger to society’ in Sweden』1 april 2022

在スウェーデン日本国大使館『新型コロナウイルス感染症対策情報』2022年3月28日
67 SVT Nyheter『Andelen äldre covidpatienter har minskat kraftigt』23 april 2020
68 TV4『Julianas morbror dog i covid-19: ”Han ställde upp för allt och alla”』14 februari, 2022
69 Äldre i Centrum『Olika mycket privatisering i kommunerna』2018-03-09
70 Vårdföretagarna『Vårdfakta 2022 Äldreomsorg』augusti 2022
71 Stockholms stad『Äldreomsorgens årsrapport 2021』Februari 2022
72 山田久『スウェーデンに学ぶ持続可能な経済社会の再建 〜財政再建・成長戦略・働き方改革への示唆〜』日本総研Viewpoint 2018年8月8日
73 SVERIGES RIKSDAG『Översyn av vård och omsorg för äldre - tio år efter Ädelreformen』3 april 2003
上田大介・三角俊介『スウェーデンの経済成長と労働生産性』財務総合政策研究所 2020年3月10日
74 PROLETÄREN『90-talskrisen – en del av nyliberalismens intåg』9.november 2020
Timbro　Caspian Rehbinder『När Folkpartiet upptäckte nyliberalismen』18 november 2021
Isak Törnqvist『DEN NYLIBERALA TIDEN?　Socialdemokratisk ideologiförändring　1973–1990』2021
北岡孝義『「小さな政府」を志向　90年代スウェーデンの自由主義政策』THE GOLD ONLINE 2016.11.17
75 安藤範行『スウェーデンの介護事情〜海外調査報告〜』参議院事務局「立法と調査」no.282 2008.6
島崎謙治『医療等の供給体制の総合化・効率化等に関する研究、スウェーデンの医療制度改革の現状と課題』厚生労働科学研究費補助金（政策科学推進研究事業）平成19年3月
76 Äldre i Centrum『Olika mycket privatisering i kommunerna』2018-03-09
厚生労働省大臣官房国際課『2010〜2011年　海外情勢報告』2012年3月
77 SverigesRadio『Caremaskandalen』08 dec 2016
78 AFTONBLADET『Carema eller Vardaga – vården är densamma』2018-02-15
79 Carema Care『Carema byter namn』27 aug, 2013
80 Kommunal arbetaren『Lite skiljer privat från kommunalt』5 mar 2015
81 LT『Studie om äldreboende kritiseras』30 september 2015
Kommunal arbetaren『”Vi går inte på tricket, Vardaga”』13 dec 2016
82 NA『Äldres blöjor ska vägas』12 maj 2012
Dagens Samhalle『Myten om det effektiva privata äldreboendet』27 oktober 2016
83 Kommunal『Ny jämförelse mellan offentlig och privat äldreomsorg』25.1.2022
84 SVT Nyheter『Duellen: Politiker i Nordanstig i debatt om privat eller kommunalt äldreboende』21 juli 2022
85 SVT Nyheter『Kommunalt eller privat äldreboende – så tycker några Nordanstigsbor』21 JULI 2022
86 VALTIONEUVOSTO STATSRÅDET『Sote-uudistus　Health and social services reform』2022 11.34
横山純一『2022年度のフィンランド一般補助金の動向とSOTE改革　地方自治の再編と保健・医療・福祉改革』「自治総研」通巻524号 2022年6月号
87 横山純一『転機にたつフィンランド福祉国家　高齢者福祉の変化と地方財政調整制度の改革』同文舘出版 2019年2月1日

○5章
1 Populär HISTORIA『Invandringen till Sverige』21 augusti 2009
2 OLOF PALMES INTERNATIONELLA CENTER『About Olof Palme』
3 The Washington Post『Palme Seen as Man Who Gave Sweden a Humanitarian Image』 March 1, 1986
4 macrotrends『Sweden Refugee Statistics 1960-2023』
5 Sweden.se『Sweden has a long history of migration. Get the bigger picture here.』21 August 2023
6 Migrationsverket『Sänkt prognos för antalet asylsökande till Sverige』2023-02-06
Sweden『Sweden's support to Ukraine』20 June 2023
7 EXPRESSEN『Så många väntas söka asyl de närmaste åren』30 maj 2016
8 SVT Nyheter『Dagersättning till flyktingar har inte höjts på 28 år – Rädda barnen: "Den är oacceptabelt låg"』9 april 2022
9 Sweden.se『Sweden has a long history of migration. Get the bigger picture here.』21 August 2023
10 SCB『Invandringar efter födelseland, kön och år』
11 EN RAPPORT AV INDUSTRINS EKONOMISKA RÅD『LÅNGSIKTIGA TRENDER KLIMATET, TEKNOLOGIN, DEMOGRAFIN OCH PRODUKTIVITETEN』OKTOBER 2019
12 AFTONBLADET『I SD-Sverige blir det inga glada utekvällar』2019-10-06
13 SCB『Antal personer efter utländsk/svensk bakgrund, ålder, kön och år』
14 Tilastokeskus『11ra -- Key figures on population by region, 1990-2022』
Tilastokeskus『Population by origin and background country 1990-2022』
Tilastokeskus『11a9 -- Immigration and emigration by country of departure or arrival, age group and region, 1990-2022』
15 AFTONBLADET『Polisens helikopter vid värdedepån』2009-09-24
AFTONBLADET『Skarp kritik mot helikopterinsats』2011-10-27
SAGENS NYHETER『Bytet i Västberga 39 miljoner』2010-04-21
16 DAGENS NYHETER『Så gick det spektakulära rånet till』2009-09-27
17 The Guardian『Gang use helicopter in Hollywood-style raid on Swedish cash depot』23 Sep 2009
Svenska Dagbladet『Utländska medier: "Helikopterkupp chockar Sverige"』2009-09-23
18 ヨナス・ボニエ『ヘリコプター・ハイスト 舞い降りた略奪者』角川文庫 2017年9月23日
19 IMDb『The Helicopter Heist』
20 AFTONBLADET『Skarp kritik mot helikopterinsats』2011-10-27
Rikspolisstyrelsen『Granskning av Polismyndigheten i Stockholms län och Rikskriminal polisen med anledning av händelse den 23 september 2009』Inspektionsrapport 2011:6
Svenska Dagbladet『JAS-plan kunde ha ingripit mot helikopterrånarna』2009-09-25
21 SVT Nyheter『Båda kriminalvårdarna på Hällbyanstalten har släppts』21 juli 2021
22 The Local『Violence on the rise in Sweden's nearly-full prisons』12 Jul 2018
SVT Nyheter『Kriminalvårdens säkerhetsdirektör efter gisslandramat: "Något har brustit"』22 juli 2021
23 SVT Nyheter『Larmet: Bristande säkerhet på Sveriges tyngsta anstalter』24 januari 2023
Svenska Dagbladet『Privata fängelser som lösning』2023-07-19
24 SVT Nyheter『Larmet: Bristande säkerhet på Sveriges tyngsta anstalter』24 januari 2023
25 The Guardian『Sweden's gun violence rate has soared due to gangs, report says』26 May 2021

26 Svenska Dagbladet『Privata fängelser som lösning』2023-07-19
Kriminalvården『Kriminalvårdens platskapacitet 2023 – 2032』2023-03-01
27 SVT Nyheter『Larmet: Bristande säkerhet på Sveriges tyngsta anstalter』24 januari 2023
28 SVT Nyheter『Fem personer har avvikit från fängelse i Norrköping』30 juli 2023
29 LILLA KRISINFO『Barn och unga drabbas av gängens våld』14 sep 2023
30 SVT Nyheter『Rapparen Einár skjuten till döds i södra Stockholm』21 oktober 2021
31 Göteborgs-Posten『Här skjuter de inne på krogen』29 apr, 2016
32 Göteborgs-Posten『Polischefen om 2015: Mitt mest komplicerade år』3 jan, 2016
33 RIEDEA『Man found shot to death in car』April 28th, 2023
34 Polisen『Sprängningar och skjutningar - polisens arbete』
The Local『Trio in Sweden jailed for drive-by shooting of 12-year-old Adriana』27 April 2023
35 警察庁組織犯罪対策部『令和４年における組織犯罪の情勢』令和５年３月
36 Brå『Misstänkta för brott bland personer med inrikes respektive utrikes bakgrund』Rapport 2021:9
Brå『Ny Bråstudie: Misstänkta för brott bland personer med inrikes respektive utrikes bakgrund』25 augusti, 2021
37 Bild『Schweden ist gefährlichstes Land Europas』25.10.2021
38 The Local『Trio in Sweden jailed for drive-by shooting of 12-year-old Adriana』27 April 2023
39 SVT Nyheter『Två barn skadade efter skjutning i södra Stockholm』17 juli 2021
40 SVT Nyheter『"Vågar inte låta barnen vara ute ensamma nu"』18 juli 2021
41 Göteborgs-Posten『Dagarna som skakade Göteborg』6 okt, 2021
42 SVT Nyheter『Explosion och flera bränder i bostadshus i Göteborg – 16 till sjukhus』28 september 2021
43 Dagens Nyheter『Kvinna död efter explosionen i Annedal』2021-10-15
44 SVT Nyheter『Misstänkt för explosion i Annedal hittad död』6 oktober 2021
45 Göteborgs-Posten『Dagarna som skakade Göteborg』6 okt, 2021
46 SVT Nyheter『4-årig flicka offer i gängkonflikten』15 juni 2015
47 BBC『Boy, 8, killed in grenade attack on apartment in Sweden』23 August 2016
48 Göteborgs Posten『Dystra rekordet: 14 sprängdåd i Göteborg i år』17 sep, 2023
49 Polisen『Sprängningar och skjutningar - polisens arbete』
50 LILLA KRISINFO『Barn och unga drabbas av gängens våld』14 sep 2023
51 SVT Nyheter『Vem är "Kurdiska räven" Rawa Majid?』10 september 2023
52 AFTONBLADET『Detta har hänt: Våldsvåg efter intern spricka inom Foxtrot』2023-09-18
53 SVT Nyheter『Efter nattens skjutningar – september dödligaste månaden』28 september 2023
SverigesRadio『Så vill politikerna stoppa våldet』tor 29 sep
54 SVT Nyheter『Mordet på Milo, 13, i Haninge kopplas till gängkonflikt』21 SEPTEMBER 2023
55 SVT Nyheter『Minst sju utomstående har dödats i skjutningar senaste året』28 september 2023
56 SVT Nyheter『Uppsalaborna om skjutningarna: "Vill ha en säker stad"』14 SEPTEMBER 2023
57 TV4『Kartläggning: Rawa Majid är "Kurdiska räven"』3 april, 2023
58 SVT Nyheter『Nära 100 Uppsalabarn i riskzonen för att värvas av gängkriminella』20 JUNI 2022

59 SverigesRadio『Rävens barnsoldater – "Skjut vem som helst"』24 maj 2023
60 SVT Nyheter『Experten: Unga rekryteras till gäng på samma sätt som barnsoldater』14 SEPTEMBER 2023
61 EXPRESSEN『Strömmer: 30 000 är gängkriminella』15 jun 2023
62 BBC News『Italian mafia: How crime families went global』28 January 2018
63 千葉県警察『暴力団の勢力』令和４年
64 SVT Nyheter『Polisen: Över tusen barn och unga i kriminella nätverk i Sverige』12 juni 2022
65 SVT Nyheter『Fler barn vill lämna gängen: "Samtalen handlar om att man inte vill dö"』16 SEPTEMBER 2023
Uppsala kommun『Insatsteamet』25 maj 2023
Uppsala kommun『Avhopparverksamheten』13 juni 2023
66 SVT Nyheter『Polisen rustar för avhopp: "Många kommer vilja lämna, det är jag övertygad om"』21 SEPTEMBER 2023
67 Göteborgs stadsledningskontor『Göteborgsbladet 2023 - områdesfakta』
68 Polismyndigheten『Lägesbild över utsatta områden』Regeringsuppdrag 2021
Polismyndigheten『Kartgränser utsatta områden i region Väst』2021-12-01
69 Polisen『Utsatta områden – polisens arbete』
70 Dagens Nyheter『Borlänges modell går på export』2015-09-12
Stiftelsen The Global Village『Fakta för förändring EN RAPPORT OM SVERIGES 61 UTSATTA OM RÅDEN』
71 SVT Nyheter『Tjärna Ängar i Borlänge fortfarande rankat som riskområde av polisen』3 juni 2019
72 SVT Play『Uppdrag granskning：Riskområde: Tjärna Ängar』26 jan 2022
SVT Nyheter『Kriminella i utsatta området: Man lever i Sverige fast ändå inte』26 januari 2022
73 Stiftelsen The Global Village『Fakta för förändring EN RAPPORT OM SVERIGES 61 UTSATTA OM RÅDEN』sommaren 2019
74 SVT Play『Uppdrag granskning：Riskområde: Tjärna Ängar』26 jan 2022
SVT Nyheter『Budskapet i riskområdet: "Inte värt att lära sig svenska"』26 januari 2022
75 Johanna Bäckström Lerneby『Familjen』2020
76 Boktugg『Johanna Bäckström Lerneby får Stora Journalistpriset för boken Familjen』18 november 2020
77 SVT Nyheter『Kriminella tystar kommunanställda i Göteborg』10 augusti 2021
78 SVERIGES RIKSDAG『Ledamöter och partier』2023, Sep 29
SverigesRadio『Christian Democrats willing to talk to all parties, including Sweden Democrats』22 mars 2019
79 EXPRESSEN『Här bildar nazisterna partiet SD – i Malmö』14 sep 2014
The Guardian『The rise of the anti-immigrant Sweden Democrats: 'We don't feel at home any more, and it's their fault'』14 Dec 2014
STATENS OOFENTLIGA UTREDNINGAR『Demokratins förgörare SOU 1999:10』1999-11-17
80 SverigesRadio『Jimmie Åkesson: We are the anti-immigration party』16 augusti 2018
81 Migrationsverket『Testa om du kan bli svensk medborgare』2022-07-13
82 Government Offices of Sweden『Inquiry report on knowledge requirements for a permanent residence permit presented』30 May 2023
83 apu『Ruotsin pelätyt rikollisjengit toimivat jo Suomessa, varoittaa tunnettu rikoskirjailija –

13 kysymystä ja vastausta Ruotsin jengisodasta』28.9.2023
84 SVT Nyheter『Kriminella i utsatta området: Man lever i Sverige fast ändå inte』26 januari 2022
SVT Nyheter『Budskapet i riskområdet: ”Inte värt att lära sig svenska”』26 januari 2022
85 Polisen『Sprängningar och skjutningar - polisens arbete』
The Local『Trio in Sweden jailed for drive-by shooting of 12-year-old Adriana』27 April 2023
86 Brå『Ny Bråstudie: Misstänkta för brott bland personer med inrikes respektive utrikes bakgrund』25 augusti, 2021
（外国生まれの両親を持つスウェーデンで生まれた人の場合、両親が両方ともスウェーデン生まれであり、スウェーデンで生まれた人の約３倍発生率が高い）
87 SVERIGES RIKSDAG『Åtgärder mot gängbrottsligheten』2019-10-03
SVT Nyheter『Myndigheter ska vässa arbetet mot ekonomisk brottslighet』15 augusti 2023
88 SVT Nyheter『Polisens larm: Nära 1 000 kriminella svenskar på spanska solkusten』5 juli 2023
89 NRK『Kripos: Det svenske Foxtrot-nettverket opererer i Noreg』25. sep 2023
SVT Nyheter『Ministrarna i möte efter norsk oro för gängvåldet』27 SEPTEMBER 2023
90 ILTALEHTI『Pohjoisen poliisi huolissaan: Ruotsin jengirikollisuus liikkuu kohti Suomea』16.4.2022
91 Helsingin Uutiset『Tällainen on Helsingin kaduilla kytevä roadman-ilmiö – Mertsitamminen, 33, näki itse miten jengiytyminen alkoi 2000-luvun Göteborgissa』4.10.2022
92 Regeringskansliet『Regeringsförklaringen den 18 oktober 2022』18 oktober 2022
93 SVERIGES RIKSDAG『Nu inleds den största offensiven någonsin mot den organiserade brottsligheten』02 november 2022
94 Regeringskansliet『Statsminister Ulf Kristersson höll tal till nationen』28 september 2023
SVT Nyheter『Rikspolischef Anders Thornberg om gängdåden: ”Terrorliknande”』29 september 2021
SverigesRadio『Hur kan militären bistå polisen med brottsbekämpningen?』29 september 2023
95 SVT Nyheter『Danmarks justitieminister: Redo att hjälpa Sverige i gängkriget』29 september 2021

○６章

1 this is FINLAND『Main outlines of Finnish history』
Helsingin Suomalainen Klubi『the story of Finland’s independence』
2 武田龍夫『物語 北欧の歴史 モデル国家の生成』中央公論新社 2008年11月５日第10版
3 United States Government Printing Office Washington『EVENTS LEADING UP TO WORLD WAR II　Chronology of Major International Events, With the Ostensible Reasons Advanced for Their Occurrence　1931-1944』1944
4 Pasituunainen『Finland in World War II』22 September 2021
5 武田龍夫『物語 北欧の歴史 モデル国家の生成』中央公論新社 2008年11月５日第10版
6 石野裕子『物語 フィンランドの歴史 北欧先進国「バルト海の乙女」の800年』中央公論新社 2017年10月25日初版
7 The Herald『Vaino Linna: Unknown Soldiers (Penguin Classics)』26th April 2015
8 mtv UUTISET『“Tuntemattoman” sensuroimaton versio julki』21.09.2000

9 堀内都喜子『小さな国家がイノベーション大国になれた理由　幸福度世界一、フィンランドの歩みから学ぶ』RECRUIT 2020.03.23
ハアレツ「首相は34歳女性、閣僚の4人が35歳未満」のフィンランドから学べること』Courier 2020.3.31
10 R. SRINIVASA MURTHY『Mental health consequences of war: a brief review of research findings』2006 Feb
11 石野裕子『物語 フィンランドの歴史 北欧先進国「バルト海の乙女」の800年』中央公論新社　2017年10月25日初版
12 日本銀行『銀行券／国庫・国債　五千円札』
13 武田龍夫『物語 北欧の歴史　モデル国家の生成』中央公論新社 2008年11月5日第10版
14 石垣泰司『戦後の欧州情勢の変化とフィンランドの中立政策の変貌』「外務省調査月報」2000/No.2
15 Finland utomlands『Finland och NATO – ofta ställda frågor』
16 Suomi.fi『Varusmies- ja siviilipalvelus』18.1.2022
17 THE ADVISORY BOARD FOR DEFENCE INFORMATION『ABDI (MTS) FINNS`OPINIOS ON FOREIGN AND SECURITY POLICY,NATIONAL DEFENCE AND SECURITY』Bulletins and reports November, 2018
INTTI.FI『Intti edessä?』
18 Puolustusministeriö『Asevelvollisuusjärjestelmän yhteiskunnallisia vaikutuksia』13.3.2007
19 The New York Times『When Russia Is a Neighbor, Self-Defense Is Everyone's Concer』Oct. 4, 2023
20 INTTI.FI『Kutsunnat』
21 SIPRI『World military expenditure reaches new record high as European spending surges』24 April 2023
INDEPENDENT『Finland's military spending soars 36% as global defence budgets hit Cold War levels』24 April 2023
22 SIPRI『World military expenditure reaches new record high as European spending surges』24 April 2023
23 yle『Finland's Patria signs deal with Lockheed Martin to assemble F-35 fuselages』19.6 2023
24 yle『NATO eituo muutoksia rajavalvontaan – Suomen itäisimmässä pisteessä voi edelleen pistäytyä』6.4 2023
25 The New York Times『When Russia Is a Neighbor, Self-Defense Is Everyone's Concer』Oct. 4, 2023
26 REUTERS『ロシア、西部国境の軍備増強へ フィンランドのNATO加盟で』2023年8月9日
27 euronews.『Arming an archipelago: Is time running out for Europe's oldest DMZ? ¨』24/04/2023
Wilson Center『NATO Needs an Island Chain Strategy for the Baltic Sea』June 27, 2023
28 Wilson Center『NATO Needs an Island Chain Strategy for the Baltic Sea』June 27, 2023
29 Finland utomlands『Finland och NATO – ofta ställda frågor』
30 Syre『"Fredens öar": Kan NATO påverka Åland?』2023-06-17
31 Hemsö fästning『Ett besöksmål utöver det vanliga』
32 Swedish Institute『History of Sweden Ice Age, Iron Age, it Age. This is your quick guide to the history of Sweden.』30 June 2023
33 Britannica『Kalmar War』
34 朝日新聞『中立掲げて200年、スウェーデンの生存戦略 「平和国家」の裏の顔』2022年5月14日
清水謙『スウェーデンはいかに危機に対処してきたか　すべては自国の安全保障のために』synodos

2014.09.04
35 武田龍夫『物語 北欧の歴史 モデル国家の生成』中央公論新社 2008年11月5日第10版
時事通信『スウェーデン加盟で防衛力強化 バルト海が「NATOの湖」に』2023-07-11
清水謙『スウェーデンはいかに危機に対処してきたか すべては自国の安全保障のために』synodos 2014.09.04
36 時事通信『スウェーデン加盟で防衛力強化 バルト海が「NATOの湖」に』2023-07-11
武田龍夫『物語 北欧の歴史 モデル国家の生成』中央公論新社 2008年11月5日第10版
37 小泉悠『現代ロシアの軍事戦略』筑摩書房 2021年5月8日初版
ISW『RUSSIA'S ZAPAD-2021 EXERCISE』Sep 17, 2021
38 BBC NEWS『スウェーデンとフィンランド、NATO加盟申請を正式決定』2022年5月16日
39 Government Offices of Sweden『Military budget initiatives for 2024』22 September 2023
40 AFP『スウェーデン、徴兵制復活へ 8年ぶり、2018年から』2016年9月30日
BBC NEWS『Sweden brings back military conscription amid Baltic tensions』2 March 2017
41 FÖRSVARSMAKTEN『Värnplikt』
42 Plikt-och prövningsverket『Att vara vapenfri』31 mar 2023
43 THE LOCAL『Sweden hands out first jail terms for draft evasion since return of conscription』4 Apr 2019
44 SverigesRadio『Fängelse för avhopp från värnplikten』4 april 2019
45 Volvo『Volvo Group』
46 euronews.『Civil engineer jailed in Sweden for selling information to Russian embassy』15/09/2021
47 SVT Nyheter『47-årig svensk åtalas – misstänks ha spionerat för Rysslands räkning』22 februari 2021
SverigesRadio『Person inför rätta för spioneri i Sverige – första gången på 18 år』25 augusti 2021
SVT Nyheter『Volvo-konsult greps på krog – inför rätta för ryskt spioneri i sällsynt mål』26 AUGUSTI 2021
48 Göteborgs-Posten『Spionexpert: Bröderna Kia toppen av isberget』20 maj, 2023
49 SVT Nyheter『Myndighetschef från Uppsala häktas för grov obehörig befattning med hemlig uppgift』23 SEPTEMBER 2021
SVT Nyheter『Chef på myndighet begärs häktad för grovt spioneri』18 NOVEMBER 2021
SVT Nyheter『Båda spionmisstänkta bröderna häktade』19 NOVEMBER 2021
SVT Nyheter『Källor till SVT: Misstänkta spionbröder har båda jobbat på Säpo』25 november 2021
DAGENS NYHETER『Man häktad för brott mot rikets säkerhet arbetade på Sveriges hemligaste underrättelsetjänst』2021-11-12
BBC『Swedish brothers charged as spies for Russia』11 November 2022
50 AFTONBLADET『Spionen jagades i åratal – kan ha sålt ut Säpos hela personallista』2022-11-11
51 yle『Venäjä sulkee Ruotsin konsulaatin Pietarissa, karkottaa ruotsalaisdiplomaatteja ja sulkee oman konsulaattinsa Ruotsissa』25.5
52 SVT Nyheter『Ryssland utvisar fem svenska diplomater』25 maj 2023
53 EXPRESSEN『Säpo: Var tredje rysk diplomat spionerar』25 aug 2021
54 SVT Nyheter『Putins spioner』
55 SVT Nyheter『Bibliotekariens hemliga dubbelliv i Sverige – var rysk spion』4 OKTOBER 2023
56 The Guardian『Swedish man charged with passing hitech equipment to Russia』28 Aug

2023
57 SVT Nyheter『Putins spioner』
58 CPH post『Denmark expels 15 Russian intelligence officers』April 5th, 2022
59 MINISTRY OF FOREIGN AFFAIRS OF DENMARK『Press release: Staffing level of the Russian Embassy in Copenhagen to be reduced』1.9.2023
UKRAINSKA PRAVDA『Russia outraged at downsizing of its embassy in Denmark』1 September 2023
60 Министерство иностранных дел Российской Федерации『Комментарий официального представителя МИД России М.В.Захаровой в связи с требованием датских властей о сокращении персонала Посольства России в Дани』01.09.2023
61 yle『Ulkoministeri Haavisto diplomaattien karkotuksista: Suomi on varautunut Venäjän vastatoimiin』7.6.2023
62 yle『Suomi lähettää lisää puolustustarvikeapua Ukrainalle』13.4.2023
63 CPH post『Russian revelations continue: 38 Nordic-based intelligence officers identified by documentary』April 26th, 2023
SVT play『Uppdrag granskning: Skuggkriget』2023
DR『Skyggekrigen』
64 yle『Suomen ja Viron välisessä kaasuputkessa on reikä – mikään muu syy ei selitä nopeaa paineen laskua』9.10.2023
yle『Keskusrikospoliisitutkii kaasuputken vaurioita törkeänä tuhotyönä – merialueella on liikkunut paljon aluksia』10.10.2023
65 MUZEJS EBREJI LATVIJĀ
66 Museum of the Occupation of Latvia
67 日本経済新聞『中立とは　北欧は宣言のみ、国際社会の承認なし きょうのことば』2022年4月15日
68 森元誠二『スウェーデンのNATO加盟に思うこと』一般社団法人霞関会 2022年7月26日
69 武田龍夫『物語 北欧の歴史　モデル国家の生成』中央公論新社 2008年11月5日第10版
70 HISTORY IS NOW『Was Sweden really neutral in World War Two?』December 18, 2017
71 武田龍夫『物語 北欧の歴史　モデル国家の生成』中央公論新社 2008年11月5日第10版
72 HISTORY IS NOW『Was Sweden really neutral in World War Two?』December 18, 2017
The New York Times『The (Not So) Neutrals of World War II』Jan. 26, 1997
73 武田龍夫『物語 北欧の歴史　モデル国家の生成』中央公論新社 2008年11月5日第10版
74 武田龍夫『物語 北欧の歴史　モデル国家の生成』中央公論新社 2008年11月5日第10版
75 Svenska Dagbladet『Ny bild av Sverige under krigsåren』2009-08-25
The WORLD HOLOCAUST REMEMBRWNCE CENTER『Raoul Wallenberg』
Raoul Wallenberg Instute『About Raoul Wallenberg』
76 The New York Times『The (Not So) Neutrals of World War II』Jan. 26, 1997
77 朝日新聞『スウェーデン「中立200年」の裏の顔』2022年5月20日
78 Aeroseum『Bakgrund』
細谷泰正『地下30mの洞窟基地に眠るSAABと日本製ヘリ「武装中立」スウェーデンの凄み』乗りものニュース2021.03.03
79 STOCKHOLM INTERNATIONAL PEACE RESEARCH INSTITUTE『Data for the SIPRI Top 100 for 2002–21 (Excel)』
80 FÖRSVARSMAKTEN『Jas 39 Gripen C/D』20 januari 2022
81 Svenska Dagbladet『Ryskt flyg övade anfall mot Sverige』2013-04-22
82 小泉悠『現代ロシアの軍事戦略』筑摩書房 2021年5月8日初版

83 SVT Nyheter『Ryska plan kränkte svenskt luftrum』24 januari 2019
84 TV4『Kärnvapenbestyckade ryska plan kränkte svenskt luftrum』30 mars, 2022
85 AFP『平和愛するも「独裁者に武器販売」、スウェーデンの矛盾』2014年5月26日
86 BUSINESS INSIDER『Sweden says it built a Russian fighter jet killer — and stealth is totally irrelevant』Feb. 8, 2019
87 Forbes『There's A Good Reason Ukraine Also Wants Swedish Gripen Fighters: They Can Fly From Roads』Aug 25, 2023
88 REUTERS『スウェーデン、対ウクライナ追加軍事支援表明　戦闘機供与も検討』2023年10月6日
89 The New York Times『Stockholm Offers Fighter Jets for Ukraine if Sweden is Allowed to Join NATO』Oct. 6, 2023
90 The Joint Accident Investigation Commission of Estonia, Finland and Sweden『final report ON THE CAPSIZING ON 28 SEPTEMBER 1994 IN THE BALTIC SEA OF THE RO-RO PASSENGER VESSEL MV ESTONIA』December 1997
91 UK Parliament『Merchant Shipping (Ro-Ro Passenger Ship Survivability) Regulations 1997』HL Deb 17 February 1997 vol 578 cc502-11
92 Regeringskansliet『Överenskommelse med Estland och Finland om m/s Estonia』23 februari 1995
93 Jutta Rabe『Die Estonia. Tragödie eines Schiffsuntergangs』1 Jan. 2002
New Statesman『Death in the Baltic: the MI6 connection』23rd May 2005
94 Regeringskansliet『Utredningen om transport av försvarsmateriel på M/S Estonia Diarienummer: Promemoria 2004:06』21 januari 2005
『Riigikogu 1994. aastal Eesti Vabariigiterritooriumilt parvlaevaga Estonia sõjatehnika väljaveo asjaolude väljaselgitamiseks moodustatud uurimiskomisjoni LÕPPARUANNE』19. detsember 2006
95 SVENSK MEDIEDATABAS『SVT Uppdrag granskning』2004-11-30
Discovery+『Estonia』
96『Riigikogu 1994. aastal Eesti Vabariigiterritooriumilt parvlaevaga Estonia sõjatehnika väljaveo asjaolude väljaselgitamiseks moodustatud uurimiskomisjoni LÕPPARUANNE』Tallinn,19. detsember 2006
97 AFP『ドキュメンタリー番組で新事実発見か バルト海フェリー沈没事故』2020年9月29日
SVT Nyheter『Filmare bakom Estoniadokumentären frias』8 februari 2021
98 SVT Nyheter『Åklagarens beslut om Estonia dröjer』24 mars 2021
SVT Nyheter『Ny jakt på svar om Estonias förlisning i gång』9 juli 2021
99 Ohutusjuurdluse Keskus,Statens haverikommission,Onnettomuustutkintakeskus『Intermediate Report of the Preliminary Assessment of MV ESTONIA』Tallinn 2023
SVT Nyheter『Nya Estoniautredningen: Inga tecken på explosion』23 januari 2023
100 SVT Nyheter『Försvarsmakten bekräftar: Estonia användes till hemliga militära transporter』22 december 2022
101 AFTONBLADET『Ny rapport: Inga tecken på explosion vid Estonia』23 januari
102 SVT Nyheter『Anhörigstiftelsen om nya Estonia-rapporten: "Helt onödig för oss"』23 januari 2023
103 Stiftelsen Estoniaoffren och Anhöriga『SEA – Stiftelsen Estoniaoffren och Anhöriga』
104 Stiftelsen Estoniaoffren och Anhöriga『SEA – Stiftelsen Estoniaoffren och Anhöriga』

○7章

1 UNITED CITIZENS OF EUROPE Luca P. De Cristofaro & Macarena Díez Ortiz de Uriarte『The Kurdish Community in Sweden: Organizing a Diaspora』Feb 8, 2021
International Journal of Cultural Policy Mahama Tawat『The birth of Sweden's multicultural policy. The impact of Olof Palme and his ideas』July 2017
2 Britannica『Olof Palme』
3 The Washington Post『Palme Seen as Man Who Gave Sweden a Humanitarian Image』March 1, 1986
OLOF PALMES INTERNATIONELLA CENTER『About Olof Palme』
4 Linnaeus University Barzoo Eliassi『Statelessness in a world of nation-states: the cases of Kurdish diasporas in Sweden and the UK』March 2016
5 LUND UNIVERSITY Martin Ericsson『Enfranchisement as a Tool for Integration: The 1975 Extension of Voting Rights to Resident Aliens in Sweden』2020
6 THE LOCAL『Danish far-Right extremist Rasmus Paludan to stand in Swedish election』20 Apr 2022
7 Nettavisen Nyheter『Dansk partileder som satte fyr på koranen innrullet i bacon er dømt til betinget fengsel 』05.07.19
ALJAZEERA『Riots in Sweden after far-right activists burn copy of Quran』29 Aug 2020
EXPRESSEN『Våldsamt upplopp efter Koranbränning』28 aug 2020
euronews『Dozens arrested after days of far-right clashes across Sweden』23/04/2022
CNN『暴動続発で40人負傷、コーラン燃やした極右政治家に抗議か　スウェーデン』2022.04.19
8 The Guardian『Turkey condemns burning of Qur'an during far-right protest in Sweden』21 Jan 2023
9 THE LOCAL.se『Quran burning: Turkey issues arrest warrant for Danish-Swedish extremist Rasmus Paludan』21 Jul 2023
10 Polisen『Polismyndigheten överklagar förvaltningsrättens domar』06 april 2023
THE LOCAL『Swedish police appeal court ruling allowing Koran burning protests』7 April 2023
11 SVT Nyheter『Koranbränning utanför Stockholms moské – arrangör misstänks för hets mot folkgrupp』28 juni 2023
12 SVT Nyheter『Sveriges ambassad i Bagdad stormad』29 juni 2023
ALJAZEERA『Outcry over Quran burning in Sweden: A timeline』20 Jul 2023
13 SVT Nyheter『Starka reaktioner efter tillstånd för ny koranmanifestation』20 juli 2023
14 ALJAZEERA『Countries condemn desecration of Quran in Sweden』29 Jun 2023
15 SVT Nyheter『Detta har hänt: Terrorhotnivå höjs till fyra』17 augusti 2023
16 SVT Nyheter『Han misstänks för attacken mot svenskar i Bryssel』17 OKTOBER 2023
17 ARAB NEWS『Iranian police arrest Sweden gang leader: Report』October 09, 2023
18 AFTONBLADET『Aftonbladet avslöjar: Polisens hemliga rapport läckte till "Kurdiska räven"』2023-09-15
19 AFTONBLADET『Nya hoten mot Sveriges NATO-medlemskap』2023-09-16
20 Tilastokeskus『11ra -- Key figures on population by region, 1990-2022』
Tilastokeskus『Population by origin and background country 1990-2022』
Tilastokeskus『11a9 -- Immigration and emigration by country of departure or arrival, age group and region, 1990-2022』
21 SCB『Antal personer efter utländsk/svensk bakgrund, ålder, kön och år』
22 SCB『Invandringar efter födelseland, kön och år』2000-2022

23 Tilastokeskus『11rm -- Language according to sex by municipality, 1990-2022』
24 Regeringskansliet『Statsminister Ulf Kristersson höll tal till nationen』28 september 2023
SVT Nyheter『Rikspolischef Anders Thornberg om gängdåden: ”Terrorliknande”』29 september 2021
SverigesRadio『Hur kan militären bistå polisen med brottsbekämpningen?』29 september 2023
25 Alfred Nobel Björkborn
26 Britanica『Alfred Nobel』Oct 17, 2023
THE LOCAL.se『Alfred Nobel's gunpowder factory is still in business in Sweden a century on』2 Oct 2021
THE NOBEL PRIZE『The Nobel Dynamite Companies』26 Oct 2023
THE NOBEL PRIZE『Alfred Nobel's dynamite companies』27 May 2003
Göteborgs-Posten『Mannen som blev hatad av en hel stad』
Göteborgs-Posten『Här tillverkas vapnen som ska stoppa Putin』1 jul, 2023
27 Ingrid Carlberg『Nobel : den gåtfulle Alfred, hans värld och hans pris』18 Sept. 2019
THE LOCAL.se『Alfred Nobel's gunpowder factory is still in business in Sweden a century on』2 Oct 2021
28 THE LOCAL.se『Alfred Nobel's gunpowder factory is still in business in Sweden a century on』2 Oct 2021
29 Göteborgs-Posten『Mannen som blev hatad av en hel stad』
30 Government Offices of Sweden『Heavy advanced weapons to Ukraine』19 January 2023
The Guardian『Weapons from the west vital if Ukraine is to halt Russian advance』28 Feb 2022
31 日本自動車輸入組合『Saab（サーブ）』
32 SIPRI『THE SIPRITOP 100 ARMS-PRODUCING AND MILITARY SERVICES COMPANIES, 2021』December 2022
33 SAAB『Saab Year-End Report 2022: Strong order intake and delivering on our outlook』10 February 2023
Bloomberg『Saab bets on sales boost as Sweden mulls joining NATO』22 April 2022
34 Nasdaq『SAAB B, SAAB B, (SE0000112385)』2023-10-27
35 Bismarck Brief『The Swedish Arms Industry』May 11, 2022
36 SIPRI『SIPRI Arms Transfers Database』27 October 2023
37 Corren『Linköping är familjens vagga』2019-05-07
38 （社）日本経済団体連合会 防衛生産委員会『ドイツおよびスウェーデンの防衛産業政策に関する調査ミッション報告』2012年2月22日
39 森元誠二『スウェーデンのNATO加盟に思うこと』一般社団法人霞関会 2022年7月26日
40 IISS『Sweden's defence industry: NATO membership promises new markets but poses challenges』4th August 2023
41 SVT Nyheter『Ny stororder till Saab i Karlskoga』18 september 2023
42 SVT Nyheter『Experten: För- och nackdelar med Jas Gripen i Ukraina』20 augusti 2023
43 POLITICO『Sweden edges closer to sending Gripen fighter jets to Ukraine』OCTOBER 17, 2023
44 外務省『日・スウェーデン防衛装備品・技術移転協定の署名』令和4年12月20日
45 SVT Nyheter『Demonstration i Göteborg mot militärövningen Aurora 23』22 april 2023
46 Sustainable Development Solutions Network『World Happiness Report 2012』-『World Happiness Report 2024』
47 BBC NEWS『Olof Palme: Who killed Sweden's prime minister?』8 June 2020

BBC NEWS『Olof Palme murder: Sweden believes it knows who killed PM in 1986』10 June 2020
48 The New York Times『Swedish Chilliness Toward U.S. Is Limited to Vietnam』Jan. 8, 1973
49 Linköping University Magnus Dahlstedt and Anders Neergaard『Crisis of Solidarity?: Changing Welfare and Migration Regimes in Sweden』2016
SVERIGES RIKSBANK『Den svenska ekonomin』1997-05-14
内閣府『第２章　金融危機と日本経済　第２節』
50 日本総研『新自由主義』
池上彰『池上彰「小泉・竹中路線」の理論、”新自由主義”とは？』日経BOOK PLUS 2023.7.26
51 Linköping University Magnus Dahlstedt and Anders Neergaard『Crisis of Solidarity?: Changing Welfare and Migration Regimes in Sweden』2016
52 ekonomifakta『GDP - Gross Domestic Product』2023-05-15
53 International Journal of Health Services Bo Burström『SWEDEN—RECENT CHANGES IN WELFARE STATE ARRANGEMENTS』Vol. 45, No.1（2015）
54 Institute for Futures Studies『New perspectives on the privatization of Swedish welfare』10 July, 2017
55 THE LOCAL.se『Situation in Sweden's hospitals 'terrible and completely unacceptable': watchdog』19 Jan 2023
56 The Local『What's behind the rising inequality in Sweden's schools, and can it be fixed?』22 August 2018
57 SVT Nyheter『Pisa-undersökningen: Svenska elever presterar sämre』5 december 2023
58 statista『Largest companies in Sweden as of August 2023, ranked by turnover』Aug 8, 2023
Reuter『Ericsson to cut 1,400 jobs in Sweden』February 20, 2023
Reuter『Volvo Cars to axe 1,300 jobs as it steps up cost cuts』May 4, 2023
euters『Sweden's H&M to lay off 1,500 staff in drive to cut soaring costs and rescue profits』November 30, 2022
SVT Nyheter『Ericsson varslar 1 200 jobb i Sverige』25 mars 2024
59 Sweden.se『Long-term policies and a global approach have made Sweden's economic growth possible. Find out more.』9 June 2023
Migrationsverket『The introduction of the new work permit model is starting』13 September 2023
60 Regeringskansliet『Statsminister Ulf Kristersson höll tal till nationen』28 september 2023
SVT Nyheter『Rikspolischef Anders Thornberg om gängdåden: ”Terrorliknande”』29 september 2021
SverigesRadio『Hur kan militären bistå polisen med brottsbekämpningen?』29 september 2023
61 横山純一『転機にたつフィンランド福祉国家　高齢者福祉の変化と地方財政調整制度の改革』同文舘出版 2019年２月１日

○８章

1 Sustainable Development Solutions Network『World Happiness Report 2024』2024
2 平口良司・稲葉大『マクロ経済学〔新版〕』有斐閣 2020年４月５日初版
3 蓼沼宏一『経済とは、人々をより幸せにするための社会システム。　望ましいシステムの実現を目指す社会的選択理論と厚生経済学』一橋大学 2014年春号vol.42 掲載
4 池上彰『お金はなぜ、お金なのか？』NIKKEIリスキリング 2012/4/27

池上彰『お金とは何か？』明治安田生命
5　日本銀行『世界最古の中央銀行はどこですか？』
6　（ただし、実際には利子分があるため、全ての借金返済は不可能です）
7　中野剛志『意外と知られていない銀行と国債のしくみ：中野剛志「奇跡の経済教室」最新講義第３回』BEST TIMES 2021.07.09
中野剛志『目からウロコが落ちる 奇跡の経済教室【基礎知識編】』KKベストセラーズ 2019年4月30日
8　Federal Reserve Bank of New York,Economic Policy Review　FRED H.KLOPSTOCK『Money Cration in the Euro-Dollar Market- A Note on Professor Firedman's Views』JANUARY 1970
9　BANK OF ENGLAND『Quarterly Bulletin 2014 Q1 | Volume 54 No.1』
10　BANK OF ENGLAND『Quarterly Bulletin 2014 Q1 | Volume 54 No.1』
11　横山昭雄『真説 経済・金融の仕組み 最近の政策論議、ここがオカシイ』日本評論社 2015年9月14日
12　池上彰『お金とは何か？』明治安田生命
13　西川健司『イスラム金融の現状について』三菱UFJ信託銀行 2016年8月号
14　近藤浩一『スウェーデン 福祉大国の深層』水曜社 2021年1月25日初版
15　日本経済新聞『中国対外融資が膨張　途上国へ強まる支配力』2020年8月6日
日本経済新聞『中国が途上国融資を増やす狙いは？』2020年8月7日
16　BBC NEWS『G7、6000億ドルの途上国インフラ投資へ　中国の「一帯一路」に対抗』2022年6月27日
17　日本経済新聞『グローバルサウス』
18　WORLD BANK GROUP『Poverty & Equity Global Estimate of Children in Monetary Poverty: An Update』October 2020
19　United Nations『SUSTAINALE DEVELOPMENT GOALS Goal 1: End poverty in all its forms everywhere』
20　斎藤幸平『人新世の「資本論」』集英社 2020年9月22日初版
21　SDGs ACTION『グローバルサウスとは　開発途上国との違いやSDGsとの関係を解説』2023.08.02
22　野村證券『トリクルダウン理論』
23　亀岡裕次『コラム：トランプノミクス期待相場の死角＝亀岡裕次氏』REUTERS 2017年6月20日
24　Forbes『Trump Tax Cuts Helped Billionaires Pay Less Taxes Than The Working Class In 2018』Oct 10, 2019
THE GURARDIAN『Trump's tax cuts helped billionaires pay less than the working class for first time』9 Oct 2019
25　日本経済新聞『世界の相続税事情は？「増税ニッポン」と比較』
26　REUTERS『焦点：揺らぐスウェーデンの平等社会、富裕層減税で格差拡大へ』2019年4月11日
27　中島厚志『日本がスウェーデンから学ぶこと』みずほリサーチ September 2010
ペール・ヌーデル『スウェーデンはいかにして経済成長と強い社会保障を実現したか～日本そして世界への教訓（第1回）』DIAMOND online 2010.12.17
28　OECD『GDP per capita (current US$) - OECD members』2022
29　OECD『OECD Economic Surverys Sweden』2017
30　UBS『2023 Global Wealth Report』
31　SVT Nyheter『Kenneth låter bli att äta – för att dottern ska få mat』12 januari 2022
32　トマ・ピケティ『21世紀の資本』みすず書房 2014年12月8日
33　OXFAM International『Richest 1% bag nearly twice as much wealth as the rest of the world put together over the past two years』16th January 2023

34 unicef『Children bearing brunt of stalled progress on extreme poverty reduction worldwide』13 September 2023
unicef『Under-five mortality』January 2023
unicef『Under-five mortality data,Number of deaths of children under five』January 1, 2023
35 財務省『債務残高の国際比較（対GDP比）』令和5（2023）年
Statista『The 20 countries with the highest public debt in 2022 in relation to the gross domestic product（GDP）』Aug 29, 2023
Statista『The 20 countries with the lowest national debt in 2022 in relation to gross domestic product（GDP）』May 11, 2023
36 財務省『財政に関する資料、令和5年度』
37 Statistics Finland『General government debt grew by EUR 5.0 billion in the fourth quarter of 2022』15/03/2023
38 VALTIOVARAINMINISTERIÖ『Valtion budjetti』
39 RIKSGÄLDEN『Statens budgetöverskott blev 164 miljarder kronor 2022』10 januari 2023
RIKSGÄLDEN『Sveriges statsskuld』30 december 2022
40 Regeringskansliet『Statens budget i siffror』
41 ＩＭＦ『General government gross debt Percent of GDP』LIST（2015）
Statista『The 20 countries with the lowest national debt in 2022 in relation to gross domestic product（GDP）』May 11, 2023
（マカオは政府財務がないが中国の特別行政区であるため除外）
42 経済産業省『令和4年版　通商白書』
43 Forbes「Top 10 biggest companies in the world by market cap in 2023」Dec 4, 2023
2023 CompaniesMarketcap.com
44 財務省『財政に関する資料、普通国債残高の累増』
45 Martin Greenwood『How Neoliberalism Destroyed the Planet and Why Capitalism Won't Save Us』May 4, 2021
46 TIME『TIME100 MOST INFLUENTIAL PEOPLE 2022』
47 VOGUE『In Conversation With Two Indigenous Women Fighting for the Future of the Amazon—And the Planet』December 13, 2021
48 INEQUALitY.org『Amazonian Indigenous Leader Sônia Guajajara: 'In the Flames, They See Money'』OCTOBER 16, 2020
49 森口祐一『リサイクルって温暖化対策になるの？』国立環境研究所　地球環境研究センター 2010年9月
50 夫馬賢治『世界基準からズレた日本の「プラごみリサイクル率84％」の実態』Forbes Japan 2019.01.10
51 SVT Nyheter『Bara 10 procent av all plast i Sverige återvinns』5 november 2021
SVT Nyheter『20 000 ton plast fraktas utomlands för återvinning – svensk lösning på gång』5 februari 2023
52 SVT Nyheter『Bara 10 procent av all plast i Sverige återvinns』5 november 2021
53 Bloomberg『Global CO2 Emissions Hit a Record Even as Europe's Decline』March 2, 2023
54 INSIDER『Global fossil fuel demand has to crater 25% by 2030 if the world is going to meet its climate goals, IEA says』Sep 27, 2023
55 情報労連『気候変動と資本主義 経済のあり方を変えなければ気候変動は止められない』2020/05/15
56 消費者庁『令和2年版 消費者白書』
内閣府政策統括官室『平成19年度 日本経済2007』平成19年12月

トヨタ自動車75年史『第1部第2章第7節第2項 朝鮮戦争による特需の発生』
57 International Journal Canada s Journal of Global Policy Analysis Aaron Ettinger『Neoliberalism and the Rise of the Private Military Industry』September 2011
58 openDemocracy『Paul Rogers『Our global culture of war means guaranteed profits for the arms industry』23 June 2023
59 Sky News『Ukraine war: How weapons makers are profiting from the conflict』10 June 2022
60 Sky News『Ukraine war: How weapons makers are profiting from the conflict』10 June 2022
DefenseNews『US pledges longer-range 'small-diameter bomb' for Ukraine』Feb 3,2023
61 Nasdaq『SAAB B, SAAB B, (SE0000112385)』2023-11-07
62 内山瑞貴『【解説】紛争の裏で軍需産業と大国が大儲け!?武器ビジネスその仕組みとは』日テレNEWS 2022年10月21日
63 全国地球温暖化防止活動推進センター『2-15　世界平均気温の変化予測（観測と予測）』
64 ジョセフ・E・スティグリッツ,ジャン=ポール・フィトゥシ,マルティーヌ・デュラン『GDPを超える幸福の経済学』明石書店 2020年4月5日
村上由美子・高橋しのぶ『GDPを超えて－幸福度を測るOECDの取り組み』OECD東京センター 2020/1
65 東洋経済『成長しなくても繁栄できる「ドーナツ経済」の正体』2021/08/01
IDEAS FOR GOOD『ドーナツ経済学とは・意味』
66 HARVARD GRADUATE SCHOOL OF EDUCATION Andrew Bauld『Happy Students Are Motivated Students』May 11, 2021
University College London『10 benefits of helping others』28 April 2020
verywell mind Elizabeth Scott『Helping Others Can Increase Happiness and Reduce Stress』October 26, 2020
67 加藤佑『【欧州CE特集#15】ドーナツ経済学でつくるサーキュラーシティ。アムステルダム「Circle Economy」前編』IDEAS FOR GOOD 2020年2月27日
68 IKEA『Transforming into a circular business』
69 H&M『Recycling System 'Looop' Helps H&M Transform Unwanted Garments into New Fashion Favourites』7 Oct, 2020
70 NIKKEI ASIA『'Talentism' defines success in new capitalism, says Davos chief』June 3, 2020
71 WORLD ECONOMIC FORUM『Here's how Japan is embracing the concept of well-being』May 22, 2022
72 Wellbeing EconomyAlliance『Wellbeing Economy Governments』
73 PRIME MINISTER'S OFFICE『Agreement reached on the Government Programme Inclusive and competent Finland – a socially, economically and ecologically sustainable society』3.6.2019
74 Eurohealth『A WELLBEING ECONOMY AGENDA TO HELP SHAPE THE POST-CORONAVIRUS ECONOMY』Vol.26 | No.3 | 2020
75 OECD『The future of education and skills Education 2030』OECD 2018
76 宇沢弘文『社会的共通資本』岩波新書 2017年5月8日第22刷
77 Bookey『30 Best Olof Palme Quotes With Image』

近藤浩一（こんどう・こういち）

1975年生まれ。法政大学法学部政治学科卒業後、神奈川県警入職。その後オーストラリア留学を経てIT企業で数年間勤務後、世界屈指のスウェーデンの通信機器メーカー・エリクソン社へ転職。2007年よりドイツ・デュッセルドルフ勤務、2012年よりスウェーデンで勤務し、現在プロジェクトマネージャーとして世界の大手通信企業の大規模プロジェクトに従事。著書に『スウェーデン 福祉大国の深層』がある。

北欧、幸福の安全保障
——スウェーデン・フィンランドの選択

発行日　二〇二四年五月二十九日　初版第一刷発行

著者　近藤浩一
発行人　仙道弘生
発行所　株式会社 水曜社
〒160−0022 東京都新宿区新宿一−三一−七
電　話　〇三−三三五一−八七六八
ファックス　〇三−五三六二−七二七九
URL：suiyosha.hondana.jp

本文・装幀　小田純子
印刷　日本ハイコム株式会社

ISBN 978-4-88065-564-2　C0036